The Litt

Yr Arwr Bach

Argraffwyd gan Y Lolfa
(01970) 832304

The Little Hero
The autobiography of Joseph Parry

Edited by Dulais Rhys

Yr Arwr Bach
Hunangofiant Joseph Parry

Golygwyd gan Dulais Rhys

Llyfrgell Genedlaethol Cymru 2004
The National Library of Wales 2004

Foreword

This book contains the text of the autobiography of Joseph Parry (1841–1903), in his time Wales's most celebrated musician and composer, and one whose name still resounds in the musical memory of the nation. His life story has been told many times, and two substantial biographies have been published, by E. Keri Evans, *Cofiant Dr. Joseph Parry* (Cardiff; London: Educational Publishing Company, 1921) and more recently by Dulais Rhys, *Joseph Parry: bachgen bach o Ferthyr* (Cardiff: University of Wales Press, 1998). Now we have the opportunity to hear his own voice in an autobiography written at the end of his life, but not previously published in full.

In an age when it is not unusual for 'celebs' to write an autobiography well before retirement (and often authored by someone else), it is strange to reflect that Joseph Parry was 61 when he began this work. We do not know why he decided to take a look back – in his time someone of 61 was considered 'old', and sadly, if fortunately from the perspective of history, Parry died within a year of completing this autobiography. He appears to have intended to publish it, as he left a space on the first page for an illustration of his birthplace, and the manuscript is littered with the author's corrections.

Parry began to write on New Year's Day 1902. By May he had 'finished' the work – his writing, like his composition, was done in haste, and as a result this autobiography is sketchy in some areas and over-detailed in others. From time to time his facts are incorrect and he does not mention apparently significant events, such as the death of his parents. The autobiography of Joseph Parry is a reflection of the man, his character and personality.

The original work is written in English, not surprisingly perhaps, as Joseph Parry was a man of his time. The style is often laboured and long-winded, and characteristic of the writing of the age; although a Welsh-speaking Welshman, Parry uses anglicized terms like 'eisteddfods'. His use of 'scenes' and 'quarters' is meaningless and reflects a lack of care, something seen also in his misspellings, such as 'vail' for 'veil' (p. 6).

The second part of the autobiography is not as biographical or as important as the first. Parry lists dozens of the great musicians of his day, but does not elaborate on his association with them. Did he meet them or see them? Or had he merely heard of them or heard their work performed?

Rhagymadrodd

Cyflwynir yn y llyfryn hwn destun hunangofiant Joseph Parry (1841–1903), cerddor a chyfansoddwr enwocaf Cymru yn ei ddydd, ac un y mae ei enw yn dal i atseinio yng nghof cerddorol ei genedl. Adroddwyd hanes ei fywyd droeon, ac ymddangosodd dau gofiant sylweddol iddo, gan E. Keri Evans, *Cofiant Dr. Joseph Parry* (Caerdydd; Llundain: Educational Publishing Company, 1921) ac yn fwy diweddar gan Dulais Rhys, *Joseph Parry: bachgen bach o Ferthyr* (Caerdydd: Gwasg Prifysgol Cymru, 1998). Yn awr dyma gyfle i glywed llais y dyn ei hun mewn hunangofiant a luniwyd ar ddiwedd ei oes, ond nas cyhoeddwyd yn llawn hyd yma.

Mewn cyfnod lle mae'n gyffredin i 'enwogyn' ysgrifennu'i hunangofiant ymhell cyn ymddeol (yn aml wedi'i lunio gan awdur arall), mae'n rhyfedd meddwl mai 61 oed oedd Joseph Parry pan ddechreuodd ar y gwaith. Ni wyddom y rheswm dros ei benderfyniad i fwrw golwg yn ôl – bryd hynny, ystyrid rhywun 61 mlwydd oed yn 'hen', a gwaetha'r modd, er yn ffodus o safbwynt hanes, bu farw Parry o fewn blwyddyn i gwblhau'r hunangofiant hwn. Mae'n ymddangos iddo fwriadu ei gyhoeddi, gan iddo adael lle ar y tudalen cyntaf ar gyfer llun o'i gartref, ac mae ôl sawl cywiriad gan yr awdur i'r testun llawysgrif.

Dechreuodd Parry ysgrifennu ar Ddydd Calan 1902. Erbyn mis Mai roedd wedi 'gorffen' ei waith – fel gyda'i gyfansoddi, gweithiai ar frys mawr, ac yn sgil hynny mae'r hunangofiant hwn yn fylchog mewn un man ac yn or-fanwl mewn man arall. Ambell dro mae'n wallus o ran ffeithiau ac nid yw'n crybwyll digwyddiadau a ddylai fod o bwys, megis marwolaeth ei rieni. Mae hunangofiant Joseph Parry yn adlewyrchiad o'r dyn, ei gymeriad a'i bersonoliaeth.

Ysgrifennwyd y gwreiddiol yn Saesneg, sydd i'w ddisgwyl efallai o gofio mai Cymro nodweddiadol o oes Victoria oedd Parry. Mae'r gystrawen yn aml yn llafurus a hirwyntog, ac yn nodweddiadol o ysgrifennu'r cyfnod; er ei fod yn Gymro, mae Parry'n defnyddio ffurfiau Seisnigaidd megis 'eisteddfods'. Mae ei ddefnydd o 'scenes' a 'quarters' yn ddiystyr ac yn adlewyrchu diffyg gofal ar ei ran, rhywbeth a welir hefyd yn ei gamsillafu, er enghraifft 'vail' (t. 6).

Nid yw ail ran yr hunangofiant mor fywgraffyddol nac mor bwysig â'r rhan gyntaf. Mae Parry yn rhestru yma ddwsinau o gerddorion mawr ei

There follows one page with the portentous heading: 'Wales as it is, Wales as it needs be, and Wales as it might be' – but the remainder of the page is blank. And as an 'appendix' to the end of the manuscript there is a flowery description of the euphoria of a composer who has newly completed a piece of work – this is Parry the 'man of letters', and in the first part there are other passages where he expresses his feelings openly and displays emotion.

There are glimpses too of Parry's mind and personality: he is conscientious (losing sleep in anticipation of adjudicating on the following day – p. 16); he suffers from lack of self-confidence (when he becomes a professional musician – p. 22); he shows pride (when he is invested with his music degree – p. 32); and intense human feeling (in his grief for his son – p. 38). When he describes performances of his works, Parry invariably describes them as 'successes', so that we are tempted to think that his imagination is stronger than his memory.

He appears to have kept an annual list of his compositions: there are several references in the text to a 'list for the year', but these lists are not included in the manuscript. A list of Parry's compositions is given in Dulais Rhys, *Joseph Parry*, p. 143-60.

The *Cofiant* by E. Keri Evans contains a Welsh translation of parts of the autobiography. Evans's translation appears rather old-fashioned and is in places inaccurate. It is hoped that the Welsh version given here more accurately reflects Parry's original text.

The original manuscript is the property of The National Library of Wales (NLW9661D).

I wish to thank the following for their assistance in the preparation of this work: Rhidian Griffiths, Eirionedd Baskerville and Ann Ffrancon of The National Library of Wales; Carl Llewelyn, Dowlais; Fiona Siobhan Powell, Pennsylvania, an authority on Joseph Parry's life in America; and my ever patient wife, Leigh Verrill-Rhys.

Dulais Rhys

ddydd, ond nid yw'n manylu ar ei gysylltiad â nhw. A oedd wedi cyfarfod â nhw, wedi eu gweld? Neu wedi clywed amdanynt neu glywed eu gwaith yn unig? Yna ceir un tudalen gyda'r pennawd mawreddog: 'Wales as it is, Wales as it needs be, and Wales as it might be' – ond mae gweddill y tudalen yn wag. Ac fel 'atodiad' i ddiwedd y llawysgrif ceir disgrifiad blodeuog o orfoledd cyfansoddwr ar orffen darn o waith – dyma enghraifft o Parry y 'llenor': ceir sawl enghraifft arall o hynny yn y rhan gyntaf, wrth iddo fynegi ei deimladau'n agored ac arddangos ei emosiynau.

Ceir ambell gipolwg hefyd ar feddylfryd a phersonoliaeth Joseph Parry: mae'n gydwybodol (yn colli cwsg wrth iddo boeni am feirniadu drannoeth – t. 17); yn dioddef o ddiffyg hunan-hyder (wrth iddo droi'n gerddor proffesiynol – t. 23); yn dangos balchder (wrth iddo dderbyn ei radd mewn cerddoriaeth – t. 33); ac yn amlygu teimladau dwys a dynol (wrth alaru ar golli ei fab – t. 39). Wrth ddisgrifio hynt a helynt perfformiadau o'i waith, 'llwyddiant' yw barn Parry bron yn ddieithriad, gan beri meddwl bod ei ddychymyg yn drech na'i gof.

Mae'n debyg iddo wrth gyfansoddi gadw cofnod o'r nifer o ddarnau a luniodd bob blwyddyn: ceir sawl cyfeiriad yn y testun at 'list for the year', ond nid yw'r rhestrau hyn wedi'u cynnwys yn y llawysgrif. Ceir rhestr o gyfansoddiadau Parry yn Dulais Rhys, *Joseph Parry: bachgen bach o Ferthyr*, t. 143-60.

Mae'r *Cofiant* gan E. Keri Evans yn cynnwys cyfieithiad Cymraeg o rannau o'r hunangofiant. Nid yn unig mae'r aralleiriad braidd yn hen-ffasiwn erbyn heddiw, ond mae hefyd yn wallus o ran ffeithiau a dehongliad o'r gwreiddiol. Ceisiwyd yn y fersiwn Cymraeg a gyflwynir yma lynu'n nes at y gwreiddiol Saesneg.

Mae'r llawysgrif wreiddiol yn eiddo i Lyfrgell Genedlaethol Cymru (llawysgrif NLW9661D).

Hoffwn ddiolch o galon i'r canlynol am eu cymorth wrth baratoi'r gwaith hwn: Rhidian Griffiths, Eirionedd Baskerville ac Ann Ffrancon o Lyfrgell Genedlaethol Cymru; Carl Llewelyn, Dowlais; Fiona Siobhan Powell, Pennsylvania, arbenigydd ar fywyd Joseph Parry yn America; a'm gwraig amyneddgar, Leigh Verrill-Rhys.

Dulais Rhys

My Autobiography

New Year's Day 1902

O thou; unseen, and ever moving Time! I have been bourne [*sic*] upon thy wings, through 60 of thy fleeting years. The dawn of this another year (1902) lifts the vail [*sic*], and I seem to live life all over again, its fond and sacred memories, as in a dream, pass before me! I am again in the dear old home of my birth, (May 21st, 1841) of my childhood, and boyhood days. (The second house, Chapel Row, Merthyr Tydvil, South Wales)[1].

I am a child once more in my mother's arms,[2] and echoes of her singing come to me, such that angels might envy. I also see you my dear father, sister Ann, my only brother Henry,[3] though you all have left this life, yet I am with you again, you also you my two living sisters.[4] I see the tall poplar trees (planted by my mother's hands) towering high above the house tops, the bright flowers, the old canal from which I was rescued two or three different times, also the playground, with you my earliest playmates. Hearing from the distance the wafted strains from the (then celebrated) Cyfarthfa band,[5] and following you as you play marching the streets of Merthyr; your music seems to satisfy my soul, more than food the body. I am again (with my mother) at my old mother church (Bethesda).[6] Ah me! In the choir as an alto boy, my future brother-in-law (Mr Robert James) as conductor.[7]

---

[1] The second house if counted from the right in Chapel Row (a Welsh version, 'Tai'r Hen Gapel' is a recent addition), which sits in Merthyr's Georgetown, built by the Cyfarthfa Iron Company.

[2] Elizabeth ('Bet/Beti') Richards: she was baptized on 28 March 1805 (Capel Sul, Cydweli, Carmarthenshire) and died on 11 June 1886 (Ligonia Village, Maine, U.S.A.).

[3] Ann James (née Parry) was born in 1834 and died in January 1855; Henry Parry was born in 1838 and died on 4 July 1892; Daniel Parry was born in 1800 at Moylgrove, Ceredigion and died on 10 October 1866.

[4] Elizabeth ('Betsy') Lewis (*née* Parry) was born in 1844; Jane Evans (*née* Parry) was born in 1847. Neither date of death has been found, though both were alive in 1902 when Parry was writing.

[5] The Cyfarthfa band was founded by Robert Thompson Crawshay in 1838.

[6] Built *c*1800, extended 1829.

[7] Robert James, 'Jeduthyn' (1825–79), precentor at Bethesda chapel from 1845. He eventually settled in Pennsylvania.

Fy Hunangofiant

Dydd Calan 1902

O dydi; anweledig ac aflonydd Amser! Fe'm cludwyd ar d'adenydd drwy drigain o'th flynyddoedd buan. Cwyd gwawr blwyddyn arall (1902) y llen, ac mae fel petawn yn ail-fyw bywyd, mae'r atgofion mwyn a chysegredig yn mynd heibio i mi fel mewn breuddwyd! Rwyf unwaith eto yn hen gartref annwyl fy ngenedigaeth (21 Mai 1841), fy mhlentyndod, a dyddiau fy machgendod. (Yr ail dŷ, Chapel Row, Merthyr Tudful, De Cymru).[1]

Rwyf yn blentyn unwaith eto ym mreichiau fy mam,[2] a daw atseiniau ei chanu i'm clyw, o'r math a allai wneud yr angylion yn genfigennus. Gwelaf hefyd dydi, f'annwyl dad, fy chwaer Ann, a'm hunig frawd Henry,[3] er eich bod i gyd wedi ymadael â'r byd hwn, eto yr wyf gyda chwi, chwithau hefyd, fy unig ddwy chwaer sy'n dal yn fyw.[4] Gwelaf y coed poplys tal (a blannwyd gan ddwylo fy mam) yn codi fry uwchben toeon y tai, y blodau llachar, yr hen gamlas o'r lle y'm hachubwyd ar ddau neu dri achlysur gwahanol, hefyd y lle chwarae gyda chwi fy nghyfeillion cynnar. Clywaf o'r pellter seiniau seindorf Cyfarthfa, enwog pryd hynny.[5] Rwy'n eich dilyn wrth i chwi orymdeithio trwy strydoedd Merthyr; diwalla eich cerddoriaeth fy enaid, yn fwy na bwyd y corff. Rwyf unwaith eto (gyda fy mam) yn fy mam eglwys (Bethesda).[6] Wele fi! Yn y côr fel alto o fachgen, gyda'm darpar frawd-yng-nghyfraith (Mr Robert James) yn arweinydd.[7]

---

[1] Yr ail dŷ o gyfrif o'r dde yn Chapel Row (ychwanegiad diweddar yw'r fersiwn Cymraeg, 'Tai'r Hen Gapel'), a leolir yn ardal Georgetown ym Merthyr, ardal a godwyd gan Gwmni Haearn Cyfarthfa.

[2] Elizabeth ('Bet/Beti') Richards: fe'i bedyddiwyd ar 28 Mawrth 1805 (Capel Sul, Cydweli, Sir Gaerfyrddin) a bu farw ar 11 Mehefin 1886 (Ligonia Village, Maine, U.D.A.).

[3] Ganwyd Ann James (née Parry) yn 1834 a bu farw yn Ionawr 1855; ganwyd Henry Parry yn 1838 a bu farw 4 Gorffennaf 1892; ganwyd Daniel Parry yn 1800 yn Nhrewyddel, Ceredigion a bu farw ar 10 Hydref 1866.

[4] Ganwyd Elizabeth ('Betsy') Lewis (née Parry) yn 1844 a Jane Evans (née Parry) yn 1847. Ni chafwyd hyd i ddyddiad marw y naill na'r llall, ond roedd y ddwy yn dal yn fyw yn 1902 pan oedd Parry'n ysgrifennu'r hunangofiant hwn.

[5] Sefydlwyd seindorf Cyfarthfa gan Robert Thompson Crawshay yn 1838.

[6] Adeiladwyd c1800, helaethwyd 1829.

[7] Robert James, 'Jeduthyn' (1825–79), codwr canu capel Bethesda o 1845. Ymgartrefodd ymhen amser yn Pennsylvania.

His pitch-fork breaks into pieces again by the old fire stove, which he throws at me and some of my fellow altos,[8] who will not come nearer the choir, much to his annoyance than [sic] our constant peepings at the front door. I am nine years of age,[9] as a pit boy working in the coal mines (Pwll Roblins) for 2/6 a week,[10] and when about twelve at the Cyfarthfa works.[11] On Sunday nights, after services, singing school, and supper, changing my clothes, going to work at midnight. Every Sunday afternoon at the Temperance Hall,[12] singing alto in Mr Rosser Beynon's choir,[13] attending the full choral and orchestral performance of Mozart's Twelfth Mass, singing alto in one of the seven choirs competing on 'Teyrnasoedd y Ddaear'[14] and the adjudicator (Mr Evan Davies, Swansea)[15] dividing the £7/7/0 prize equally between the seven choirs!

1854. I am giving my heart to its Creator, and in July of this same year, I am taken by my mother across the broad Atlantic, with my brother, sisters Elizabeth and Jane[16] to America (Danville, Pennsylvania) whereto my father preceded us last year,[17] sailing from Cardiff to Philadelphia in the sailing ship named 'Jane Anderson', a voyage of six weeks and two days. Here falls the first curtain upon the scenes of the first thirteen years as a prelude to my life. Danville now comes as the second curtain of my visions, with its incidents

---

[8]   Presumably the pitch-fork, not the stove!

[9]   i.e around 1850.

[10]   The mines were at Gelli-deg, Merthyr Tydfil.

[11]   The site of the Cyfarthfa Iron Works is today behind the Mormon Church in Merthyr Tydfil.

[12]   In John St., Merthyr Tydfil, the Temperance Hall was built in 1852, and rebuilt in 1888.

[13]   Rosser Beynon (1811–76), precentor at Soar chapel, Merthyr and editor of *Telyn Seion*, a collection of tunes and anthems published in 1848.

[14]   Merthyr Tydfil Cymmrodorion Eisteddfod, 25 December 1853. Cym[m]rodorion societies were founded in many parts of Wales in imitation of the London Cymmrodorion Society founded in 1751. 'Teyrnasoedd y Ddaear' (The kingdoms of the earth) was composed in 1852 by John Ambrose Lloyd (1815–74): Parry believed this to be the best Welsh anthem.

[15]   Evan Davies (1826–72), musician, singer, adjudicator, conductor of Swansea Choral Society and Principal of Swansea Normal College.

[16]   Ann (above, note 3) stayed in Merthyr. In 1852 she had married Robert James (above, note 7) but she died in 1855 aged 21. Their only daughter, Lizzie Parry James, became a professional singer.

[17]   Daniel Parry had emigrated to the U.S.A. in January 1853.

Mae ei draw-fforch yn torri'n ddarnau unwaith eto wrth yr hen stôf dân, wrth iddo ei daflu ataf i a rhai o'm cyd-altos,[8] am nad ydynt yn fodlon dod yn agosach at y côr, er ei gythruddo'n fawr, wrth i ni giledrych at y drws blaen drwy'r amser. Yr wyf yn naw mlwydd oed[9] ac yn gweithio fel colier bach (ym Mhwll Roblins) am 2/6 yr wythnos,[10] yna'n ddeuddeg yng ngwaith Cyfarthfa.[11] Ar nos Sul, ar ôl y cyrddau, ysgol gân a swper, newidiaf fy nillad ac af i'r gwaith am hanner nos. Bob prynhawn Sul yn y Neuadd Ddirwestol,[12] canaf alto yng nghôr Mr Rosser Beynon,[13] gan fynychu perfformiad gyda chôr a cherddorfa lawn o Ddeuddegfed Offeren Mozart, a chanu alto yn un o'r saith côr sy'n cystadlu ar 'Teyrnasoedd y Ddaear'.[14] Rhanna'r beirniad (Mr Evan Davies, Abertawe)[15] y wobr o £7/7/0 yn gyfartal rhwng y saith côr!

1854. Rhof fy nghalon i'm Creawdwr wrth i'm mam, ym mis Gorffennaf y flwyddyn hon, fynd â mi a'm brawd a'm chwiorydd Elizabeth a Jane,[16] i America (Danville, Pennsylvania) i'r lle yr aeth fy nhad y flwyddyn gynt,[17] gan hwylio o Gaerdydd i Philadelphia ar fwrdd y llong hwylio o'r enw 'Jane Anderson', taith o chwe wythnos a dau ddiwrnod. Yma y disgyn y llen gyntaf ar olygfeydd fy nhair blynedd ar ddeg cyntaf fel rhagarweiniad i'm

---

8   Y traw-fforch, mae'n debyg, nid y stôf!

9   h.y. o gwmpas 1850.

10   Roedd y lofa hon yn y Gelli-deg, Merthyr Tudful.

11   Safai gweithfeydd Cyfarthfa y tu ôl i safle'r Eglwys Formonaidd ym Merthyr Tudful heddiw.

12   Adeiladwyd y Neuadd Ddirwestol yn Stryd Ioan, Merthyr Tudful, yn 1852, a'i ail-adeiladu yn 1888.

13   Rosser Beynon (1811–76), codwr canu capel Soar, Merthyr a golygydd *Telyn Seion*, casgliad o donau ac anthemau a gyhoeddwyd yn 1848.

14   Eisteddfod Cymmrodorion Merthyr Tudful, 25 Rhagfyr 1853. Sefydlwyd cymdeithasau Cym[m]rodorion mewn sawl rhan o Gymru gan ddilyn Cymmrodorion Llundain a sefydlwyd yn 1751. Cyfansoddwyd 'Teyrnasoedd y Ddaear' gan John Ambrose Lloyd (1815–74) yn 1852. Ym marn Parry hon oedd yr anthem Gymraeg orau.

15   Evan Davies (1826–72), cerddor, canwr, beirniad, arweinydd Cymdeithas Gorawl Abertawe a Phrifathro Coleg Normal Abertawe.

16   Arhosodd Ann (uchod, nodyn 3) ym Merthyr. Roedd wedi priodi Robert James (uchod, nodyn 7) yn 1852 ond bu farw yn 1855 yn 21 oed. Cafodd ei hunig ferch, Lizzie Parry James, yrfa fel cantores broffesiynol.

17   Roedd Daniel Parry wedi ymfudo i U.D.A. yn Ionawr 1853.

of full twenty years! I am in the rolling mill (Rough and Ready[18]) and my twenty years[19] labours here from 1854 to Christmas of 1865 moves before me as a great life drama! At the rolls, the two miraculous escapes (1) a boiler exploding, my companion at my very side is killed. (2) a broken fly-wheel! Is my poor life thus spared to do some little services for the music of my native country? (which I have long since tried to do)

1858 now comes, and here I am back in the little room of my first teacher's house (the late Mr John Abel Jones of Merthyr)[20] where he is holding for us mill boys his classes on Saturday afternoons from 3 to 4, after we have been home from work, and teaches us, as members of his male choir, to read music. I am thus seventeen years of age before I can understand a single note of music (though I had sung in several Oratorio and Mass performances at Merthyr).[21] In my second quarter the idea of reading music dawns upon me, and whatever my teacher writes upon his little black board I am able to sing it instantly. He and I for years work nights together, he as a heater and I at the rolls. Now, from this date onwards, I am music's willing servant, and I constantly draw from his great knowledge. (My friends often tell me that he says: "The little devil is at me all the time").

1859 comes before me, and my fellow pupils have me now form a class to teach them sight reading, and theory of music. Now, I am about eighteen years of age and I am advised to learn harmony. I ask: "What is harmony?" I am told: "It is to learn to compose." I blush, saying: "I to do the same as Handel? Mozart? Beethoven and other masters?" He hands me Hamilton's little 'Catechism on Harmony'.[22] I buy a slate, scrape a stave of five lines upon it with one of mother's table forks. I take my exercises over daily to him, just the other side of the one street for corrections. In 1866 he now

---

[18] At the corner of Railroad Street and Market Street in Danville. Built around 1847, it underwent several name changes, including 'Glendower Iron Works'. 'Old Rough & Ready' was the nickname of President Zachary Taylor (1784–1850).

[19] In reality eleven years.

[20] John Abel Jones was born on 27 October 1826 and died in July 1873: some sources incorrectly cite Robert James (above, note 7) as Parry's first teacher.

[21] He had therefore learnt to sing his part 'by ear'.

[22] *A Catechism of the Rudiments of Harmony and Thorough Bass* by James Alexander Hamilton (1785–1845).

bywyd. Daw Danville fel ail len fy ngweledigaethau, gyda'i hugain mlynedd lawn o ddigwyddiadau! Rwyf yn y felin rolio (Rough and Ready)[18] gyda'm hugain mlynedd[19] o lafur yma o 1854 hyd Nadolig 1865 yn symud o'm blaen fel drama fawr bywyd! Wrth y rholiau, caf ddwy ddihangfa wyrthiol: (1) ffrwydra berwedydd a lleddir fy nghyfaill wrth fy ymyl (2) torra chwylolwyn! Felly a arbedir fy mywyd tlawd er mwyn bod o wasanaeth bychan i gerddoriaeth gwlad fy ngenedigaeth (yr hyn y ceisiais ei wneud ers talwm)?

Daw **1858**, ac yr wyf yn ôl yn ystafell fach fy athro cyntaf (Mr John Abel Jones o Ferthyr)[20] lle y mae'n cynnal i ni, fechgyn y felin, ddosbarthiadau ar brynhawn Sadwrn o 3 i 4, wedi i ni gyrraedd adref o'r gwaith, gan ein dysgu, fel aelodau o'i gôr meibion, i ddarllen cerddoriaeth. Felly rwyf yn ddwy ar bymtheg oed cyn y gallaf ddeall yr un nodyn o gerddoriaeth (er i mi ganu mewn sawl perfformiad o Oratorio ac Offeren ym Merthyr).[21] Yn fy ail chwarter, gwawria arnaf y syniad o ddarllen cerddoriaeth, a beth bynnag yr ysgrifenna fy athro ar ei fwrdd du bach, gallaf ei ganu ar unwaith. Bu ef a minnau'n gweithio'r nos gyda'n gilydd am flynyddoedd, ef fel twymydd a minnau wrth y rholiau. Nawr, o'r dyddiad hwn ymlaen, gwas ffyddlon i gerddoriaeth wyf i, a thynnaf yn gyson ar ei wybodaeth eang ef. (Dywed fy nghyfeillion wrthyf iddo ddweud yn aml: "Mae'r diafol bach ar fy ôl i drwy'r amser.")

Daw **1859** ger fy mron, a myn fy nghyd-efrydwyr gennyf ffurfio dosbarth i ddysgu iddynt ddarllen ar y pryd, a theori cerddoriaeth. Nawr rwyf tua deunaw oed ac fe'm cynghorir i ddysgu harmoni. "Beth yw harmoni?" gofynnaf. Dywedir wrthyf: "Dysgu cyfansoddi." Gwridaf, gan ddweud: "Gwneud fel Haydn? Mozart? Beethoven a'r meistri eraill?" Mae'n rhoi i mi lyfr bach Hamilton, 'Catechism on Harmony'.[22] Prynaf lechen, crafaf erwydd o bum llinell arni gydag un o ffyrc bwrdd fy mam. Cymeraf fy ymarferion ato'n ddyddiol, yr ochr draw i'r un stryd, i'w cywiro.

---

[18] Ar gornel Railroad Street a Market Street, Danville. Codwyd y gwaith tua 1847 a chafodd sawl enw gwahanol, gan gynnwys 'Glendower Iron Works'. Llysenw ar yr Arlywydd Zachary Taylor (1784–1850) oedd 'Old Rough and Ready'.

[19] Un mlynedd ar ddeg mewn gwirionedd.

[20] Ganwyd John Abel Jones ar 27 Hydref 1826 a bu farw yng Ngorffennaf 1873: mae rhai ffynonellau'n dweud yn anghywir mai Robert James (uchod, nodyn 7) oedd athro cyntaf Parry.

[21] Roedd felly wedi dysgu ei ran 'o'r glust'.

[22] *A Catechism of the Rudiments of Harmony and Thorough Bass* gan James Alexander Hamilton (1785–1845).

hands me over to his friend Mr John M Price[23] (of Rhymney) for Harmony. I go to his house every Saturday afternoon, but later on Sunday mornings at 9. I am there punctually, often before he is up. I am now attending the rehearsals of the Pennsylvanians (male glee party)[24] and the singing of the best English glees (has influenced me as a glee writer). We hold many concerts here and there, I as an alto, now my voice changes from a good alto. I am now in my nineteenth year.

He expounds to me Dr Marx's harmony book,[25] and to his surprise he finds that I hear mentally the effects of all the chords he reads about. On the Christmas of this year[26] I am put to compete for prizes at two Eisteddfods: (1) Danville – a vocal temperance march. I win the prize, but the judge does not like my style. Next year[27] I am put to compete upon a large anthem prize[28] at the Utica[29] great Eisteddfod, I beat my Danville judge, a great 'Drych'[30] paper war follows between my unsuccessful competitor and the judge Mr J P Jones, now of Chicago. (2) For a Hymn Tune at Fairhaven, Vermont, I get half the prize with a Mr Pritchard, an old composer. I thus am led back to the early date of my career as a young composer. What bliss! I get my first instrument, a little four octave melodeon,[31] which is to my soul as a great pipe organ, or a full orchestra! And I well remember the very first chords I ever played, namely the three first chords of Callcott's five-part glee 'Queen of the Valley'.[32] This melodeon is now with my wife's brother

---

[23] The dates of John M. Price's birth and death have not been found.

[24] A glee is a composition for a small group of unaccompanied voices.

[25] Probably *General Music Instruction* by Adolf Bernhard Marx (1795–1866).

[26] i.e. 1860.

[27] i.e. Christmas 1861.

[28] This was possibly 'O give thanks unto the Lord', composed around 1860.

[29] Utica in New York State was one of the centres of North American Welsh life in the nineteenth century.

[30] *Y Drych* (The looking-glass) was America's oldest Welsh language newspaper, established in 1851 by John Morgan Jones of New York City. It was incorporated with its sister paper *Ninnau* in 2003.

[31] A type of portable pipe organ ('four octave' = 48 notes), invented in France in the 1850s. Parry spells it 'melodion'.

[32] John Wall Callcott (1766–1821), composer of glees and part-songs and briefly a pupil of Haydn.

Yn **1860** trosglwydda fi i'w gyfaill Mr John M Price[23] (o Rymni) ar gyfer harmoni. Af i'w dŷ bob prynhawn Sadwrn, ond yn ddiweddarach ar fore Sul am 9. Rwyf yno'n brydlon, yn aml cyn iddo godi. Nawr rwyf yn mynychu ymarferion y 'Pennsylvanians' (parti canig i fechgyn),[24] maent yn canu'r canigau Saesneg gorau (dylanwadodd y rhain arnaf fel cyfansoddwr canigau). Cynhaliwn nifer o gyngherddau yma a thraw, minnau fel alto, nawr newidia fy llais o alto da. Rwyf bellach yn fy mhedwaredd flwyddyn ar bymtheg.

Esbonia ef wrthyf lyfr harmoni Dr Marx,[25] ac er syndod iddo mae'n darganfod y gallaf glywed yn feddyliol effaith yr holl gordiau y mae'n darllen amdanynt. Gyda'r Nadolig y flwyddyn hon[26] fe'm rhoddir i gystadlu am wobrau mewn dwy eisteddfod: (1) Danville – 'A Vocal Temperance March'. Enillaf y wobr, ond nid yw'r beirniad yn hoffi fy arddull. Y flwyddyn ganlynol[27] fe'm rhoddir i gystadlu am wobr fawr am anthem[28] yn Eisteddfod fawr Utica.[29] Curaf fy meirniad yn eisteddfod Danville, a cheir i ddilyn ddadl fawr ym mhapur 'Y Drych'[30] rhwng fy nghystadleuydd aflwyddiannus a'r beirniad Mr J P Jones, o Chicago bellach. (2) Am emyn-dôn yn Fairhaven, Vermont, enillaf hanner y wobr ar y cyd ag un Mr Pritchard, cyfansoddwr profiadol. Felly y'm harweinir yn ôl at ddyddiau cynnar fy ngyrfa yn gyfansoddwr ifanc. Gwyn fy myd! Caf fy offeryn cyntaf – melodeon bach pedwar wythfed,[31] sydd i'm henaid yn organ bib fawr, neu yn gerddorfa lawn! A chofiaf yn dda y cordiau cyntaf a genais arno, sef tri chord cyntaf canig pum llais Callcott, 'Queen of the Valley'.[32] Mae'r melodeon hwn

---

[23] Ni chafwyd hyd i ddyddiadau geni a marw John M. Price.

[24] Canig: cyfansoddiad i grŵp bach o gantorion yn canu'n ddigyfeiliant.

[25] Mae'n debyg taw *General Music Instruction* gan Adolf Bernhard Marx (1795–1866) a olygir.

[26] h.y. 1860.

[27] Sef Nadolig 1861.

[28] Efallai 'O give thanks unto the Lord' a gyfansoddwyd tua 1860.

[29] Roedd Utica yn nhalaith Efrog Newydd yn un o ganolfannau bywyd Cymreig Gogledd America yn y bedwaredd ganrif ar bymtheg.

[30] *Y Drych*, papur newydd Cymraeg hynaf America; fe'i sefydlwyd yn 1851 gan John Morgan Jones o ddinas Efrog Newydd. Ymgorfforwyd *Y Drych* yn ei chwaer bapur *Ninnau* yn 2003.

[31] Math o organ bib gludadwy ('pedwar wythfed' neu 48 nodyn) a ddyfeisiwyd yn Ffrainc yn yr 1850au. Sillafiad Parry yw 'melodion'.

[32] John Wall Callcott (1766–1821), cyfansoddwr canigau a rhanganau a fu am ysbaid yn ddisgybl i Haydn.

Gomer Thomas,[33] Danville, which he refuses to sell me. Memory now opens her window more widely before me, I am in the ever dear old brick church,[34] sowing the religious seed for my future life. Its choir, young men's meetings, Sunday school, walking three quarters of a mile three times every Sunday for many years, playing the melodeon in the choir, the Saturday nights debating society meetings, carrying my little melodeon on my shoulders weekly to accompany the singing.

1861. I am now in my twentieth year, and Cupid here comes in the person of my first and only love,[35] and the one who is destined to become my life's companion in all its joys and sorrows (by this time for full forty years). In this summer also I am sent as a student for the three months summer course to Geneseo, NY and my fellow students are the now well known – Madam Antoinette Sterling, P. P. Bliss and Dr. Palmer.[36] I study singing under the great Italian master Bassini[37] (a friend of Rossini), organ, harmony, and composition under Professor Cook.[38] In July[39] the war breaks out, hundreds of my young friends go to the war, and but a few return. I was twice drafted, costing me £200.0.0 to be free. I return home and to my work at the mill again.

1862 and its incidents now flood upon my memory. Composition has a firmer hold upon me. Prizes are won in many American eisteddfodau. On my birthday[40] I am married, on my wedding day I compose a Glee 'Cupid's Darts' and was sang [sic] at my wedding dinner. I adjudicate for the first time at Hyde Park,[41] how well do I remember that I could not sleep all the night

---

[33] Gomer Thomas was born in 1845 and died on 12 October 1903: a musician and music publisher, he owned a music shop on Mill Street, Danville.

[34] The Welsh Congregational Church, Chamber Street, was built in 1852.

[35] Jane Thomas was born on 27 September 1843 and died on 25 September 1918: the daughter of Benjamin and Ann Thomas (immigrated from Blaenafon, Gwent), Jane had an older sister, Elizabeth ('Betsy'), and her younger brother was Gomer (above, note 33).

[36] Antoinette Sterling (1850–1904), contralto singer; Philip Paul Bliss (1838–76), composer; Horatio Richmond Palmer (1834–1907), composer.

[37] C. Bassini, the college principal.

[38] T. J. Cook, composer and editor of the magazine *The Musical Pioneer*, which published Parry's anthem 'O give thanks unto the Lord' in 1862.

[39] i.e. July 1861.

[40] 21 May 1862 (Parry was then 21).

[41] Part of Scranton, Pennsylvania.

bellach ym meddiant brawd fy ngwraig, Gomer Thomas,[33] Danville, ac mae'n gwrthod ei werthu i mi. Egyr y cof nawr ei ffenest yn lletach o'm blaen. Rwyf yn yr hen eglwys o friciau, fythol annwyl,[34] yn hau hadau crefyddol at y dyfodol: y côr, cyfarfodydd y gwŷr ifainc, Ysgol Sul, cerdded y tri chwarter milltir dair gwaith bob Sul dros sawl blwyddyn, a chanu'r melodeon yn y côr; cyfarfodydd y gymdeithas ddadlau bob nos Sadwrn, gan gario'r melodeon bach ar fy ysgwyddau bob wythnos er mwyn cyfeilio i'r canu.

1861. Rwyf nawr yn fy ugeinfed flwydd, a daw Ciwpid heibio ym mherson fy nghariad cyntaf a'm hunig gariad,[35] yr un sydd i fod yn gymar bywyd yn ei holl lawenydd a thristwch (erbyn hyn ers deugain mlynedd lawn). Hefyd yn ystod yr haf hwn fe'm hanfonir yn efrydydd ar gwrs haf tri mis yn Geneseo, talaith Efrog Newydd. Mae fy nghyd-efrydwyr bellach yn enwog – Madam Antoinette Sterling, P. P. Bliss a Dr. Palmer.[36] Astudiaf ganu gyda'r meistr mawr Eidalaidd, Bassini[37] (cyfaill i Rossini), organ, harmoni a chyfansoddi gyda'r Athro Cook.[38] Dechreua'r rhyfel ym mis Gorffennaf,[39] fe â cannoedd o'm cyfeillion i ryfela ond ychydig sy'n dychwelyd. Fe'm gwysir ddwywaith ond talaf £200 i aros yn rhydd. Dychwelaf adref ac i'm gwaith yn y felin unwaith eto.

Llifa **1862** â'i ddigwyddiadau i'm cof. Mae cyfansoddi yn gafael yn dynnach ynof. Enillaf wobrau mewn sawl eisteddfod yn America. Fe'm priodir ar fy mhen blwydd,[40] ac ar ddiwrnod y briodas cyfansoddaf ganig, 'Cupid's Darts', a genir yn y wledd briodas. Beirniadaf am y tro cyntaf yn

---

[33] Ganwyd Gomer Thomas yn 1845 a bu farw ar 12 Hydref 1903: cerddor a chyhoeddwr cerddoriaeth, a pherchennog siop gerdd ar Mill Street, Danville.

[34] Adeiladwyd y 'Welsh Congregational Church' yn Chamber Street yn 1852.

[35] Ganwyd Jane Thomas ar 27 Medi 1843 a bu farw ar 25 Medi 1918: merch Benjamin ac Ann Thomas (a ymfudodd o Flaenafon, Gwent), roedd gan Jane chwaer hŷn, Elizabeth ('Betsy') a brawd iau, Gomer (uchod, nodyn 33).

[36] Antoinette Sterling (1850–1904), contralto; Philip Paul Bliss (1838–76), cyfansoddwr; Horatio Richmond Palmer (1834–1907), cyfansoddwr.

[37] C. Bassini, prifathro'r coleg.

[38] T. J. Cook, cyfansoddwr a golygydd y cylchgrawn *The Musical Pioneer*, a gyhoeddodd anthem Parry, 'O give thanks unto the Lord' yn 1862.

[39] h.y. Gorffennaf 1861.

[40] 21 Mai 1862 (pan oedd Parry yn 21).

long with my intense anxiety as an adjudicator the coming day. [*see list, 27 compositions for this year*]

1863. My teachers make me compete at Swansea National Eisteddfod, and [I] won upon all I competed[42] – Motette £8/8/0,[43] Three Glees £5/5/0: 'Man as a Flower', male voices, 'Rhowch i mi fy ngleddyf', male voices, 'Ffarwel i ti Gymru fad', mixed voices, the now well known glees 'Y Clychau', 'Yr Haf', 'Nant y mynydd'[44] being in the same glee competition, also the two chorales, £5/5/0; this prize was deferred[45] till further proof and guarantee of their <u>originality</u> of both thus [*sic*] sent in. I send in Nos. 1.2.3 of my <u>Twelve Chorales</u>, which I had composed the previous year,[46] and was awarded the prize. [*For the compositions of this same year, see list*] My representative does not attend the Eisteddfod, so my name as winner is not known till they hear from my friends in Danville. [*see list – 28 compositions*] I am still at the mill.

1864. I carry all the prizes at the Llandudno Eisteddfod: £24 and a medal.[47] Canon for three voices 'Not Unto Us, O Lord', Four Part Song, male voices, 'Chwareu mae y chwaon iach'. I send in two large choruses: 'Achub fi, O Dduw' and 'Clyw O Dduw fy llefain'. My two choruses win the first and second prizes [*see this year's list – 24 compositions*], £24.0.0 and a medal. Still at my work, now a chief roller.

1865 with its increased, and still more important compositions reveal themselves before me. [*see this year's list, 32 compositions*] Through Mirror of Memory reflect before my mind's eye, the most important period of my little life. The Aberystwyth National Eisteddfod[48] now comes before me, and my continued American Eisteddfodic successes [*see list*], together with the

---

[42] This is not strictly correct, as he shared some of the prizes.

[43] Parry gives the sum as 8 guineas (£8 8s. 0d.), but the actual prize was £8 and a £2 medal.

[44] 'Y Clychau', 'Yr Haf' by 'Gwilym Gwent' (William Aubrey Williams, 1834–91); 'Nant y Mynydd' by John Thomas (1839–1921) of Blaenannerch, later Llanwrtyd.

[45] By the adjudicator, Brinley Richards (1817–85), the Carmarthen-born pianist who was a professor at the Royal Academy of Music and who edited the well-known *Songs of Wales*, published in 1873.

[46] i.e. 1862.

[47] Again not strictly correct: he did not win all prizes, and the total prize-money available was £21.

[48] The Eisteddfod was held between 12 and 15 September 1865.

Hyde Park[41] a chofiaf yn dda na chysgais o gwbl y noson gynt am i mi boeni'n ddirfawr am feirniadu drannoeth [*gweler y rhestr* – *27 o gyfansoddiadau eleni*].

1863. Gwna fy athrawon i mi gystadlu yn Eisteddfod Genedlaethol Abertawe, lle yr enillais ar bob cystadleuaeth[42] – Motet £8/8/0,[43] tair canig £5/5/0: 'Man as a Flower', parti bechgyn, 'Rhowch i mi fy Ngleddyf', parti bechgyn, 'Ffarwel i ti Gymru fad', parti cymysg, roedd y canigau enwog 'Y Clychau', 'Yr Haf', 'Nant y Mynydd'[44] yn yr un gystadleuaeth, hefyd y ddwy emyn-dôn, £5/5/0; gohiriwyd y wobr hon[45] nes i mi anfon prawf a gwarant o wreiddioldeb y ddwy a anfonais i mewn. Anfonaf Rifau 1.2.3 o'm Deuddeg Emyn-dôn, a gyfansoddais y flwyddyn flaenorol,[46] a dyfarnwyd y wobr i mi [*am gyfansoddiadau eleni, gweler y rhestr*]. Nid yw fy nghynrychiolydd yn bresennol yn yr Eisteddfod, felly nid yw fy enw fel y buddugol yn hysbys nes iddynt glywed gan fy nghyfeillion yn Danville [*gweler y rhestr* – *28 cyfansoddiad*]. Rwyf yn dal yn y felin.

1864. Enillaf bob gwobr yn Eisteddfod Llandudno: £24 a medal.[47] Canon i dri llais, 'Not unto Us, O Lord', rhan-gân pedwar llais i leisiau gwrywaidd, 'Chwareu mae y Chwaon Iach'. Anfonaf ddwy gytgan fawr: 'Achub fi, O Dduw' a 'Clyw O Dduw fy Llefain'. Enilla fy nwy gytgan y wobr gyntaf a'r ail [*gweler rhestr eleni* – *24 cyfansoddiad*], £24 a medal. Rwyf wrth fy ngwaith o hyd, bellach yn brif roliwr.

Mae **1865**, gyda'i chyfansoddiadau mwy niferus a mwy pwysig hyd yn oed, yn ei datgelu ei hun o'm blaen [*gweler rhestr eleni, 32 cyfansoddiad*].

Adlewyrchi dithau, Ddrych y Cof, o flaen llygad fy meddwl y cyfnod

---

41 Yn rhan o Scranton, Pennsylvania.

42 Nid yw hyn yn hollol gywir, gan iddo rannu rhai o'r gwobrau.

43 Mae Parry'n rhoi'r swm o 8 gini (£8 8s. 0d.), ond y wir wobr oedd £8 a medal £2.

44 'Y Clychau', 'Yr Haf' gan Gwilym Gwent (William Aubrey Williams, 1834–91); 'Nant y Mynydd' gan John Thomas (1839–1921) o Flaenannerch, yn ddiweddarach o Lanwrtyd.

45 Gan y beirniad, Brinley Richards (1817–85), y pianydd o Gaerfyrddin a oedd yn athro yn yr Academi Gerdd Frenhinol ac a olygodd y gyfrol adnabyddus *Songs of Wales* a gyhoeddwyd yn 1873.

46 h.y. 1862.

47 Eto nid yw hyn yn hollol gywir: nid enillodd bob gwobr, a'r cyfanswm o arian gwobrau oedd £21.

Nationals of Swansea 1863 and Llandudno 1864, induce my both teachers and my brother-in-law[49] to take me over with them to my native country, my native town, and the house of my birth, and again walk those scenes, my song 'O give me back my childhood's dreams'[50] melts my soul into tears. Last year[51] I sent its present dwellers my photo[52] written on: "I was born in this very room on May 21st 1841, Joseph Parry". My friends sending my compositions (as they always do for me, and copied by them). I am on my journey to Wales leaving my wife and two children[53] at Danville, meeting the King of all my innumerable, invaluable, and never to be forgotten friends in N.Y. City, the late John Griffiths 'Y Gohebydd'.[54] Who has watched my successes at Swansea and Llandudno and interviews my friends as to my career and occupation. He finds that I am still at the rolling mill (rolling £1.1.0 a night 6 till 1), he at once writes a series of lengthy letters to the 'Baner'. We are coming on the steamer 'The City of Washington', twelve days. We reach Wales, go to the Aberystwyth Eisteddfod, to our utter astonishment we find that none of my compositions were in the list received by the judges. Steps are at once being taken to trace them at the dead letter offices of America and England but alas they are not discovered. (Where are they? Who has them? And what the motives? These questions will never be answered). These facts are made known to the Eisteddfod audience and in the papers. My Swansea Motette[55] is the Chief Choral test piece, I am asked to sit with the judges, so for the first time I hear this chorus. For the first time also I see, meet, and talk with Ieuan Gwyllt, Ambrose Lloyd, Gwilym

---

[49] Those who came to Aberystwyth were John Abel Jones (above, note 20), John M. Price (above, note 23), Robert James (above, note 7), and John R. Thomas (1829–96). Thomas, a teacher, composer and singer, was born in Newport (Gwent) and emigrated to New York; Parry forgets to mention him here.

[50] Composed around 1865 with words possibly by Parry himself.

[51] i.e. 1901, as Parry was writing in 1902.

[52] The photograph is currently on the wall of a downstairs room at No. 4, Chapel Row, Merthyr Tydfil.

[53] Joseph Haydn Parry ('Haydy') was born on 27 May 1864 and died on 29 March 1894; Daniel Mendelssohn Parry ('Mendy') was born in July 1865 and died in 1915.

[54] Usually John Griffith (1821–77), a prominent Welsh journalist and supporter of radical causes.

[55] 'Gostwng, O Arglwydd' dy glust' (cf. above, note 43).

pwysicaf yn fy mywyd bach. Daw Eisteddfod Genedlaethol Aberystwyth[48] o'm blaen, ynghyd â'm llwyddiannau eisteddfodol yn parhau yn America [*gweler y rhestr*], a Phrifwyliau Abertawe 1863 a Llandudno 1864, gan ysgogi fy nau athro a'm brawd-yng-nghyfraith[49] i fynd â mi gyda hwy i wlad fy ngeni, i dref fy ngeni, ac i dŷ fy ngenedigaeth, a rhodio eto y golygfeydd hynny; mae fy nghân, 'O give me back my childhood's dreams'[50] yn toddi fy enaid yn ddagrau. Llynedd,[51] anfonais at y trigolion presennol ffotograff ohonof[52] gyda'm hysgrifen arno: "I was born in this very room on May 21st 1841, Joseph Parry". Mae fy nghyfeillion yn anfon fy nghyfansoddiadau (fel y gwnânt ar fy rhan bob tro, a'u copïo hefyd). Rwyf ar fy nhaith i Gymru gan adael fy ngwraig a'm dau blentyn[53] yn Danville, cyfarfyddaf â brenin fy holl gyfeillion di-rif, amrhisiadwy a bythgofiadwy yn ninas Efrog Newydd, y diweddar John Griffiths, 'Y Gohebydd'.[54] Mae wedi gwylio fy llwyddiannau yn Abertawe a Llandudno ac mae'n holi fy nghyfeillion am fy ngyrfa a'm gwaith. Mae'n darganfod fy mod yn dal yn y felin rolio (gan rolio am £1/1/0 y nos o 6 tan 1), ac ar unwaith ysgrifenna gyfres o lythyron hir at y 'Faner'. Rydym yn dod ar y llong ager, 'The City of Washington', deuddeng niwrnod. Cyrhaeddwn Gymru ac awn i Eisteddfod Aberystwyth, ond er mawr syndod i ni, canfyddwn nad oedd un o'm cyfansoddiadau ar y rhestr a dderbyniodd y beirniad. Eir ati ar unwaith i'w holrhain yn swyddfeydd llythyron heb eu hawlio America a Lloegr, ond ysywaeth nid oes sôn amdanynt. (Ble maent? Gyda phwy y maent? Ac am ba reswm? Nid atebir y cwestiynau hyn byth.) Datgelir y ffeithiau hyn i gynulleidfa'r Eisteddfod ac yn y papurau. Fy Motet o Abertawe[55] yw'r prif ddarn prawf

---

48 Cynhaliwyd yr Eisteddfod rhwng 12 a 15 Medi 1865.

49 Y rhai a ddaeth i Aberystwyth oedd John Abel Jones (uchod, nodyn 20), John M. Price (uchod, nodyn 23), Robert James (uchod, nodyn 7) a John R. Thomas (1829–96). Ganwyd Thomas, athro, cyfansoddwr a chanwr, yng Nghasnewydd (Gwent) ac ymfudodd i Efrog Newydd; mae Parry yn anghofio sôn amdano.

50 Cyfansoddwyd tua 1865 i eiriau gan Parry ei hun, efallai.

51 h.y. 1901, gan mai yn 1902 yr oedd Parry'n ysgrifennu.

52 Mae'r ffotograff bellach ar wal ystafell ar lawr isaf rhif 4, Chapel Row, Merthyr Tudful.

53 Ganed Joseph Haydn Parry ('Haydy') ar 27 Mai 1864 a bu farw ar 29 Mawrth 1894; ganed Daniel Mendelssohn Parry ('Mendy') yng Ngorffennaf 1865 a bu farw yn 1915.

54 Fel arfer John Griffith (1821–77), newyddiadurwr amlwg a chefnogwr achosion radical.

55 'Gostwng, O Arglwydd, dy glust' (cymh. uchod, nodyn 43).

Gwent, John Thomas (Blaenannerch), John Thomas 'Pencerdd Gwalia', Alaw Ddu, Emlyn Evans, Tanymarian,[56] Rector of Neath,[57] who makes me blush as he introduces me to the vast audience, pouring his eulogies over me. I am taken to the 'Gorsedd', am by Mr John Thomas 'Pencerdd Gwalia' suddenly dubbed as 'Pencerdd America'. Gohebydd's series of 'Baner' articles has influenced the National Eisteddfod Council to offer me two years education under Dr. Evan Davies, Swansea,[58] and at the Royal Academy of Music, London, and to start immediately. I gratefully accept their magnanimous offer and am allowed to go home to my family, and return the next spring of 1866. 'Ar don o flaen gwyntoedd'[59] is one of the Aberystwyth compositions, and have no copy of it, so I at once copy it from memory, selling to Messrs. Hughes and Sons, Wrexham, for 500 copies of it, feeling delighted with the great bargain! Copies of all my others I sent in, I have. My other 'Ar Don', called 'Gwaredigaeth',[60] wins the prize at Hyde Park Eisteddfod,[61] for which I really wrote my well known one,[62] both are sung over there. My three friends and I hold a series of concerts in Wales, the programs being made up of selections of my glees, part songs, songs etc. In September we return homeward on the rough sea on the steamer 'The City of New York', with the equonoial [i.e. equinoctial] gales on so terrifically for 56 hours, so much so that one steamer has to be repaired on our reaching New York. I again return to the mill at my former work and remain to the end of this year.[63] How musical are your noises of this mill to me, the humming of your huge fans, the rhythm of your engines and machineries, the very flashes at your rolls are picturesque to my eyes. For intermingled, and associated with you, are all my compositions up to our separation at the end of this year. Oh! How I remember whilst at your rolls (having rolled

---

[56]   These were some of Wales's most prominent composers of the time.

[57]   The Revd. John Griffiths (1820–97), rector of Neath from 1855 to 1896.

[58]   Above, note 15.

[59]   Anthem, composed around 1865, the words by the Calvinistic Methodist minister and prolific children's author, Thomas Levi (1825–1916).

[60]   A different setting of perhaps the same words.

[61]   Above, note 41.

[62]   Above, note 60.

[63]   i.e. 1865.

corawl, gofynnir i mi eistedd gyda'r beirniaid, felly clywaf y gytgan hon am y tro cyntaf. Am y tro cyntaf hefyd gwelaf, cyfarfyddaf, a siaradaf â Ieuan Gwyllt, Ambrose Lloyd, Gwilym Gwent, John Thomas (Blaenannerch), John Thomas (Pencerdd Gwalia), Alaw Ddu, Emlyn Evans, Tanymarian.[56] Mae Rheithor Castell Nedd[57] yn peri imi wrido wrth fy nghyflwyno i'r gynulleidfa anferth, gan fy nghanmol i'r cymylau. Fe'm cymerir i'r Orsedd a'm henwi'n sydyn yn 'Pencerdd America' gan Mr John Thomas, 'Pencerdd Gwalia'. Mae cyfres o erthyglau 'Gohebydd' i'r 'Faner' yn dylanwadu ar Gyngor yr Eisteddfod Genedlaethol i gynnig i mi ddwy flynedd o addysg gyda Dr. Evan Davies, Abertawe,[58] ac yn yr Academi Gerdd Frenhinol yn Llundain, gan ddechrau ar unwaith. Derbyniaf y cynnig hael hwn yn ddiolchgar ac fe'm gollyngir i ddychwelyd i'm cartref ac at fy nheulu, a dychwelyd gyda'r gwanwyn 1866. 'Ar don o flaen gwyntoedd'[59] yw un o gyfansoddiadau Aberystwyth, nid oes gennyf gopi ohono, felly fe'i copïaf o'r cof ar unwaith, gan ei werthu i'r Meistri Hughes a'i Feibion, Wrecsam, am 500 copi, gan deimlo'n falch iawn o'r fargen fawr! Mae gennyf gopïau o'r lleill a gyflwynais, bob un. Mae fy 'Ar Don' arall, a elwir 'Gwaredigaeth',[60] yn ennill y wobr yn Eisteddfod Hyde Park,[61] ar gyfer hon yr ysgrifennais yr un fwy cyfarwydd,[62] cenir y ddwy acw. Rwyf i a'm tri chyfaill yn cynnal cyfres o gyngherddau yng Nghymru, gyda'r rhaglenni yn cynnwys detholiad o'm canigau, rhanganeuon, caneuon ac ati. Ym mis Medi dychwelwn adref ar y llong ager, 'The City of New York', gyda stormydd yr hydref yn para'n arswydus am 56 awr, cymaint fel bu rhaid atgyweirio un llong wrth gyrraedd Efrog Newydd. Dychwelaf unwaith eto i'r melinau, gan aros yno tan ddiwedd y flwyddyn hon.[63] Mor gerddorol yw sŵn y felin hon i mi, hymian eich ffaniau anferth, rhythm eich peiriannau, ac mae fflachiadau eich rholiau hyd yn oed fel darlun i'm llygaid. Oherwydd yn gymysg, ac wedi'u cysylltu

[56] Y rhain oedd rhai o brif gyfansoddwyr Cymru'r cyfnod.

[57] Y Parchedig John Griffiths (1820–97), rheithor Castell Nedd o 1855 hyd 1896.

[58] Uchod, nodyn 15.

[59] Anthem a gyfansoddwyd tua 1865, y geiriau gan Thomas Levi (1825–1916), gweinidog gyda'r Methodistiaid Calfinaidd ac awdur toreithiog i blant.

[60] Gosodiad arall o'r un geiriau, efallai.

[61] Uchod, nodyn 41.

[62] Uchod, nodyn 60.

[63] h.y. 1865.

many thousand tons of rails)[64] I am composing all my compositions to the time of parting. I well recall all the prize tunes, songs, part songs, glees, anthems, choruses and even my fugues;[65] all have their origin in your companionship. Namely the Mote[t]te, 'Ar Don', 'Ffarwel i ti Gymru fad'[66] etc., they had their birth to your music. I am caught working out some of my most complicate[d] portions with chalk utilizing the iron plate floor as my black board, and would, at rest time, run over to my home, close by to do some copying till I hear the engine start again.

This doubtless is the most trying period to my physique with the hard manual labour, and my close study in working out the Cherubini and Albrechtsberger contrapuntal and fugal exercises,[67] for as far back as your year of 1862, your year's list bears testimony. Your Christmas of this year[68] proved to be a great junction in my life's journey. I am adjudicating at the Youngstown Ohio Eisteddfod, an important committee is formed in connection with the Eisteddfod, 'Gohebydd'[69] is present, circulars are issued and scattered – a national Parry Fund Committee is organized, they send their thanks to the National Eisteddfod Council of Wales for their generous offer to educate me,[70] but that the CambroAmericans will undertake the whole movement. They instruct me to withdraw for ever as a working man, so my rolling connections and associations are at an end, thus ends this, the third and important scene in my life's drama. I am much afraid of my non-success. Thou ever fleeting Time, what changes thou bringest during one short life.

1866 now comes, and I am on a Concert Tour, carrying out the Committee's program. I am visiting Utica N.Y., the home of our Welsh American weekly paper 'Y Drych',[71] holding my first concerts in the

---

[64] The world's first 'T' shaped rail was rolled at Danville on 8 October 1845 for use on America's railroads.

[65] A musical form that interweaves melodies.

[66] 'Gostwng, O Arglwydd, dy glust'; 'Ar don o flaen gwyntoedd'; 'Ffarwel i ti Gymru fad': above, notes 43, 59, 60.

[67] Luigi Cherubini (1760–1842), Johann Georg Albrechtsberger (1736–1809).

[68] i.e. 1865.

[69] Above, note 54.

[70] Above, p. 20.

[71] Above, note 30.

â chwi, mae fy holl gyfansoddiadau hyd at ein hymwahaniad ar ddiwedd y flwyddyn hon. O! fel y cofiaf fod wrth eich rholiau (wedi rholio miloedd o dunelli o gledrau)[64] yn cyfansoddi fy holl gyfansoddiadau hyd at adeg ymwahanu. Cofiaf yn dda yr holl alawon, caneuon, rhanganeuon, canigau, anthemau, cytganau a hyd yn oed fy ffiwgiau[65] buddugol; maent i gyd yn deillio o'ch cwmnïaeth: sef y Motet, 'Ar Don', 'Ffarwel i ti Gymru fad'[66] ac ati – fe'u ganwyd oll i'ch miwsig chwi. Fe'm delir yn gweithio ar fy rhannau mwyaf cymhleth gan ddefnyddio sialc ar y llawr haearn sy'n fwrdd du i mi, ac ar amser gorffwys byddwn yn rhedeg i'm cartref gerllaw i gopïo rhagor nes clywed y peiriant yn ail-ddechrau.

Dyma yn ddi-os yw'r cyfnod mwyaf anodd i'm corff gyda'i lafur caled, astudio manwl wrth weithio ymarferion Cherubini ac Albrechtsberger mewn gwrthbwynt a ffiwg,[67] mor bell yn ôl â'r flwyddyn 1862, fel y tystia rhestr eleni. Mae eich Nadolig eleni[68] yn gyffordd mawr ar daith fy mywyd. Rwy'n beirniadu yn Eisteddfod Youngstown, Ohio, ffurfir pwyllgor mewn cysylltiad â'r Eisteddfod, mae 'Gohebydd'[69] yn bresennol, cynllunnir a dosberthir taflenni – ffurfir 'Pwyllgor Cronfa Parry' cenedlaethol sy'n anfon ei ddiolch at Gyngor Eisteddfod Genedlaethol Cymru am eu cynnig hael i'm haddysgu,[70] ond y bydd Cymry America yn ymgymryd â'r holl waith. Cyfarwyddir fi i roi'r gorau i'm swydd am byth, felly daw fy nghysylltiadau â rholio i ben, gan gau'r drydedd a'r bwysicaf o'r golygfeydd yn nrama fy mywyd. Rwy'n ofni'n ddirfawr y byddaf yn methu. Tydi, Amser sy'n gwibio heibio, y fath newidiadau a ddygi i un bywyd byr.

Dyma **1866** ac yr wyf ar daith o gyngherddau gan gyflawni rhaglen y Pwyllgor. Ymwelaf ag Utica N.Y., cartref ein papur wythnosol i Gymry America, 'Y Drych',[71] gan gynnal fy nghyngherddau cyntaf ym mhentrefi

---

[64] Rholiwyd y rheilen siâp 'T' gyntaf yn y byd yn Danville ar 8 Hydref 1845 i'w defnyddio ar reilffyrdd America.

[65] Ffurf gerddorol sy'n cydblethu alawon.

[66] 'Gostwng, O Arglwydd, dy glust'; 'Ar don o flaen gwyntoedd'; 'Ffarwel i ti Gymru fad': uchod, nodiadau 43, 59, 60.

[67] Luigi Cherubini (1760–1842), Johann Georg Albrechtsberger (1736–1809).

[68] h.y. 1865.

[69] Uchod, nodyn 54.

[70] Uchod, t. 21.

[71] Uchod, nodyn 30.

agricultural villages of Oneida Co., the first concerts ever held in their churches, no tickets allowed to be printed nor sold, but collections! What small beginnings! (10 cent collections!) I felt that my rolling mill's excellent wages is [sic] far better than these timid visits amongst strangers who know nothing nor even ever heard of poor me! I visit the quarry districts, far better: and the larger populous towns of Ohio and the still more congenial coal and iron districts and people, kindness and hospitality of course I find everywhere I visit, but your districts are also the centres of much generosity, many of your places and friends, I shall never forget as long as this memory shall hold its seat. I am with you, Youngstown friends, the home of your movement,[72] the one of my life as the freshest of all, your committees, concerts and suppers, how can I forget your very names and faces. You Newburgh[73] also are ever fresh, the many genial friends and many happy weeks enjoyed with you. Also your many other Ohio towns and numerous friends. I am with you one and all once more, and how charming it is to live those grateful days over again.

My 'Prodigal Son',[74] for the £20.0.0 Chester Eisteddfod for 1866 is completed here, at Newburgh, after my efforts with it in <u>trains</u>, <u>boats</u> and <u>homes</u>, it takes the prize. This is the last of my twenty competitions, each time successful[75] (excepting the chorale half prize in 1861).[76] I cannot forget you Gomer Ohio friends with its hospitable and generous Llanbrynmair settlers, my repeated visits to you proves [sic] our mutual affection. I travel the Ohio river, also for many days and nights on the Mississippi river, as well as the world renowned Albany[77] river. I am also in these my wakeful dreams with you in Cincinnati, Chicago, Racine, Milwaukee and your Wisconsin settlements, and you at Cambria,[78] how glad my heart is to renew its happy memories of you all there. My own Pennsylvania state comes on the scene

---

[72] Above, p. 22.

[73] Newburgh, Ohio.

[74] A cantata, with words by 'Eos Bradwen' (John Jones, 1831–92), which won first prize at the Aberystwyth National Eisteddfod in 1865.

[75] Cf. above, notes 42, 47.

[76] Eisteddfod Fairhaven, Vermont – above, p. 12.

[77] i.e. the Hudson river.

[78] Cambria, Wisconsin.

amaethyddol Oneida County – y cyngherddau cyntaf i'w cynnal yn eu heglwysi, heb yr hawl i argraffu na gwerthu tocynnau, dim ond casgliad! O'r fath ddechreuadau bychain! (casgliadau 10 sent!) Teimlaf fod fy nghyflog ardderchog yn y melinau rholio yn rhagori'n ddirfawr ar yr ymweliadau ofnus ymysg dieithriaid na wyddant ddim byd ac na chlywsant hyd yn oed amdanaf, druan ohonof! Ymwelaf ag ardaloedd y chwareli – dyma welliant, ac mae trefi mwy poblog Ohio ac yn well fyth bobl ac ardaloedd cydnaws y glo a'r haearn. Wrth gwrs, rwy'n canfod caredigrwydd a lletygarwch ymhob man yr ymwelaf â hi, ond mae eich ardaloedd hefyd yn ganolfan haelioni mawr; nid anghofiaf fyth tra pery'r cof lawer o'ch lleoedd a'ch cyfeillion. Rwyf gyda chwi, gyfeillion Youngstown, cartref eich mudiad,[72] prif un fy mywyd sydd mor fyw ag erioed, eich pwyllgorau, eich cyngherddau a'ch swperau – sut gallaf anghofio eich enwau a'ch wynebau? Rwyt tithau Newburgh[73] hefyd mor fyw ag erioed, y llu cyfeillion siriol, a'r wythnosau lawer o hapusrwydd a fwynheais gyda chwi; hefyd chwi drefi eraill a chyfeillion lawer Ohio, rwyf gyda chwi un ac oll unwaith eto – mor swynol yw i ail-fyw'r dyddiau diolchgar hynny.

Gorffennwyd fy 'Mab Afradlon'[74] ar gyfer £20 Eisteddfod Caer 1866 yma yn Newburgh, yn dilyn fy ymdrechion mewn trenau, cychod a chartrefi; mae'n cipio'r wobr. Dyma'r olaf o'm hugain cystadleuaeth, yn llwyddiannus bob tro[75] (ond am yr hanner gwobr am gorâl yn 1861).[76] Ni allaf eich anghofio chwi, gyfeillion Gomer, Ohio, gyda'i ymsefydlwyr lletygar a hael o Lanbryn-mair, dengys fy ymweliadau cyson â chwi ein serch at ein gilydd. Teithiaf yr afon Ohio, gan fod ar afon Mississippi am sawl dydd a nos, yn ogystal â'r afon Albany[77] fyd-enwog. Rwyf hefyd gyda chwi yn fy mreuddwydion effro yn Cincinnati, Chicago, Racine, Milwaukee ynghyd ag aneddiadau Wisconsin, a thithau Cambria,[78] mor llawen yw fy nghalon i

---

[72] Uchod, t. 23.

[73] Newburgh, Ohio.

[74] Y Mab Afradlon, cantawd, y geiriau gan 'Eos Bradwen' (John Jones, 1831–92); enillodd ei gerdd y wobr gyntaf yn Eisteddfod Genedlaethol Aberystwyth yn 1865.

[75] Cymh. uchod, nodiadau 42, 47.

[76] Eisteddfod Fairhaven, Vermont – uchod, t. 13.

[77] h.y. Afon Hudson.

[78] Cambria, Wisconsin.

as a moving and vivid panorama, from Pittsburgh and Johnston to the East; my eyes, heart, and affections are alive as with reality itself! The whole of Schuylkill County, and you dear old Danville. And Hyde Park,[79] Scranton and Lackawanna Co., here the centre place. How your churches, choirs, concerts, Eisteddfods and recollections of events, familiar names and faces now appear before me, though many of you are long dead, yet we are together once more, and you who are still with me. My college studies in Danville are not forgotten, neither are my twelve happy years as organist at Danville's Presbyterian Church,[80] with my quartette choir, ye are pleasant chapters in my life's book. Oh Time and Memory! What mirrors ye are! Here the curtain again drops upon the fourth scenes [sic] in my life. How ye also move and melt me with your reminiscences!

1868.1869.1870.1871. I leave my happy home, wife and two boys (Haydn and Mendy)[81] in 'The City of Brussels'[82] for a whole year to come to London to study at the Royal Academy of Music. I am in London without a soul that I know, the few whom I do are in Wales. I am admitted to the highest composition class for the three years, under the Principal Sir William Sterndale Bennett[83] (a friend of Mendelssohn), organ, Dr. Steggall.[84] Singing, the world renowned Signor Manuel Garcia.[85] Took a prize at the end of my first year,[86] when Mrs Gladstone[87] asked "Are you a Welshman?" When I replied "Yes Madam I am," she added, "I am also a Welsh woman, and am delighted to hand a prize to you as a fellow countryman." Received a higher

---

[79] Above, note 41.
[80] Mahoning English Presbyterian Church, Ferry Street, built in 1853 for Danville's oldest denomination. Parry was organist there from 1856 to 1868.
[81] Above, note 53.
[82] The ship in which he crossed the Atlantic.
[83] W. Sterndale Bennett (1816–75), pianist, teacher, composer, and Principal of the Royal Academy of Music from 1866 to 1875.
[84] Charles Steggall (1826–1905), organist and teacher at the Royal Academy of Music for fifty years.
[85] Manuel Garcia (1805–1906), singer, inventor of the 'laryngoscope' and teacher at the Royal Academy of Music for fifty years.
[86] i.e. 23 July 1869.
[87] Catherine Gladstone, wife of the then Prime Minister, William Ewart Gladstone. She was a member of the Glynne family of Hawarden, Flintshire.

adnewyddu ei hatgofion ohonoch oll yno. Daw fy nhalaith fy hun, Pennsylvania, i'm golwg yn banorama symudol a byw, o Pittsburgh a Johnston hyd at y dwyrain; mae fy llygaid, fy nghalon a'm serch yn fyw fel gyda'r lle ei hun! Dyna Schuylkill County gyfan, tithau'r hen ac annwyl Danville; a Hyde Park,[79] Scranton a Lackawanna County – dyma'r ganolfan. Fel y mae eich eglwysi, eich corau, eich cyngherddau, eich eisteddfodau ac atgofion am ddigwyddiadau, enwau ac wynebau cyfarwydd yn ymddangos ger fy mron yn awr, er bod llawer ohonoch wedi hen farw, eto rydym gyda'n gilydd unwaith eto, ynghyd â chwithau sy'n dal yn fyw. Nid anghofiaf fy astudiaethau coleg yn Danville, na'm deuddeng mlynedd hapus yn organydd yn Eglwys Bresbyteraidd Danville,[80] gyda'm côr pedwar llais – penodau llawen ydych yn llyfr fy mywyd. O Amser a'r Cof! Dyna ddrychau ydych! Unwaith eto, yma y disgyn y llen ar bedwaredd olygfa fy mywyd. Fel y mae eich atgofion yn fy symud ac yn fy nhoddi!

1868.1869.1870.1871. Gadawaf fy nghartref dedwydd, fy ngwraig a'm dau fachgen (Haydn a Mendy),[81] ar fwrdd y 'City of Brussels',[82] am flwyddyn gyfan i ddod i Lundain i astudio yn yr Academi Gerdd Frenhinol. Rwyf yn Llundain heb adnabod yr un enaid byw – yng Nghymru y mae'r ychydig yr wyf yn eu hadnabod. Fe'm derbynnir i'r dosbarth cyfansoddi uchaf am y tair blynedd, gyda'r Prifathro Syr William Sterndale Bennett[83] (cyfaill i Mendelssohn), organ, Dr. Steggall.[84] Canu, y byd-enwog Signor Manuel Garcia.[85] Enillais wobr ar ddiwedd fy mlwyddyn gyntaf,[86] pryd y gofynnodd Mrs Gladstone[87] i mi, "Ai Cymro ŷch chi?" Pan atebais, "Ie, Madam,"

---

79 Uchod, nodyn 41.

[79] Uchod, nodyn 41.

[80] Eglwys Bresbyteraidd Saesneg Mahoning, Ferry Street, a godwyd yn 1853 i enwad hynaf Danville. Bu Parry yn organydd yno o 1856 hyd 1868.

[81] Uchod, nodyn 53.

[82] Sef y llong y croesodd Fôr Iwerydd arni.

[83] W. Sterndale Bennett (1816–75), pianydd, athro, cyfansoddwr, a Phrifathro'r Academi Gerdd Frenhinol o 1866 hyd 1875.

[84] Charles Steggall (1826–1905), organydd ac athro yn yr Academi Frenhinol am hanner canrif.

[85] Manuel Garcia (1805–1906), canwr, dyfeisydd y 'laryngoscope' ac athro yn yr Academi Frenhinol am hanner canrif.

[86] h.y. 23 Gorffennaf 1869.

[87] Catherine Gladstone, gwraig William Ewart Gladstone, y Prif Weinidog ar y pryd. Roedd yn aelod o deulu Glynne o Benarlâg, Sir y Fflint.

prize also at the close of my second year,[88] when she welcomed me again with delight. At the close of my third year[89] I won a medal, also passed my examination and received my degree of Mus. Bac. at Cambridge in 1871 as the first Welsh musician.[90] And before my departure from London gave a concert of my compositions at St. George's Hall, the results netted me £50.0.0,[91] also a *conversazione*[92] was held in Aldersgate Street Hall, Henry Richards, M.P.[93] and many others being present when a Testimonial was presented to me, also a diamond ring to my wife and a gold watch to me, which we have now.[94] I attend two of the Buckingham [Palace] State Concerts, invited by its conductor Sir W. G. Cusins[95] as one of a small chorus. Also at the opening of the Albert Hall.[96] All the royal family are present at both concerts. I and my family attend Hwfa Môn's Fetter Lane Welsh Congregational Chapel for the three years.[97] Every <u>Christmas</u> I adjudicate at the Temperance Hall Merthyr,[98] on the very platform which I trod when a boy, and in the old Bethesda chapel pew where I had been from a child in Mother's arms. Thus, your golden wings have bourne [*sic*] me through these eventful scenes in my life's drama, and 'My Diary' shall here re-echo its records of the fruitful years of 1868-9–1870-1. [*see lists at close of*

---

[88] i.e. 23 July 1870.

[89] i.e. 22 July 1871.

[90] Parry's first version, deleted, was: "The first Welsh musician ever to receive this degree." Though this claim is an exaggeration, he was the first Welsh American to gain the qualification.

[91] In a deleted paragraph, Parry says that he used the proceeds of his concerts to pay for his family to join him in London.

[92] A kind of light concert.

[93] Usually Henry Richard (1812–88): M.P. for Merthyr, 'The Apostle of Peace' and related to Parry's mother (above, note 2).

[94] i.e. in 1902, at the time of writing.

[95] William George Cusins (1833–93), teacher at the Royal Academy of Music.

[96] The Royal Albert Hall for Arts and Sciences, built as a memorial to Prince Albert, the Prince Consort and husband of Queen Victoria, was opened on 29 March 1871.

[97] 'Hwfa Môn' (Revd. Rowland Williams, 1823–1905) was the minister of Ebeneser chapel in Fetter Lane from 1867 to 1881.

[98] Above, note 12.

ychwanegodd hi, "Cymraes ydw i, ac rwyf wrth fy modd yn cyflwyno'r wobr hon i'm cydwladwr." Hefyd, derbyniais wobr uwch ar ddiwedd fy ail flwyddyn,[88] pryd y croesawodd hi fi eto gyda phleser. Ar ddiwedd fy nhrydedd flwyddyn,[89] enillais fedal, llwyddais yn fy arholiad hefyd, gan dderbyn gradd Mus. Bac. o Gaergrawnt yn 1871, fel y cerddor cyntaf o Gymro.[90] A chyn gadael Llundain cynheliais gyngerdd o'm cyfansoddiadau yn Neuadd St. George, gan ennill £50 i mi fy hun,[91] hefyd cynhaliwyd *conversazione*[92] yn Neuadd Aldersgate St., gyda Henry Richards[93] yr Aelod Seneddol ac eraill yn bresennol pryd y cyflwynwyd tysteb i mi, modrwy ddiamwnt i'm gwraig ac oriawr aur i mi – maent gennym o hyd.[94] Mynychaf ddau o'r 'Buckingham [Palace] State Concerts', ar wahoddiad eu harweinydd Syr W. G. Cusins,[95] yn un o gôr bach. Hefyd, mynychaf agoriad Neuadd Albert.[96] Mae'r teulu brenhinol cyfan yn bresennol yn y ddau gyngerdd. Rwyf fi a'm teulu yn mynychu Capel Annibynnol Hwfa Môn[97] yn Fetter Lane am y tair blynedd. Bob Nadolig, byddaf yn beirniadu yn Neuadd Ddirwestol Merthyr,[98] ar yr union lwyfan a droediais yn fachgen, ac yn hen sedd capel Bethesda lle bûm er yn blentyn ym mreichiau Mam. Felly, mae eich adenydd aur wedi fy nghludo drwy olygfeydd cyffrous drama fy mywyd, ac mae 'Fy Nyddiadur' yma'n atseinio'i gofnodion o flynyddoedd ffrwythlon

---

[88] h.y. 23 Gorffennaf 1870.

[89] h.y. 22 Gorffennaf 1871.

[90] Fersiwn cyntaf Parry, sydd wedi ei ddileu yn y llawysgrif, yw: "Y cerddor Cymreig cyntaf erioed i dderbyn y radd hon". Nid yw hynny'n gywir, er mai ef mae'n debyg oedd y Cymro Americanaidd cyntaf i'w hennill.

[91] Mewn paragraff sydd wedi'i ddileu yn y llawysgrif, dywed Parry iddo ddefnyddio'r elw o'i gyngherddau i dalu i'w deulu ymuno ag ef yn Llundain.

[92] Math ar gyngerdd ysgafn.

[93] Fel arfer, Henry Rich**a**rd (1812–88), A.S. Merthyr, 'Apostol Heddwch' a pherthynas i fam Parry (uchod, nodyn 2).

[94] h.y. yn 1902, ar adeg ysgrifennu'r hunangofiant.

[95] William George Cusins (1833–93), athro yn yr Academi Gerdd Frenhinol.

[96] Agorwyd y 'Royal Albert Hall for Arts and Sciences', sef cofeb i'r Tywysog Albert, gŵr y Frenhines Victoria, ar 29 Mawrth 1871.

[97] Bu 'Hwfa Môn' (Parch. Rowland Williams, 1823–1905) yn weinidog capel Ebeneser, Fetter Lane, o 1867 i 1881.

[98] Uchod, nodyn 12.

this volume] In August,[99] I, my wife and children return to our American home, in the steamer 'The City of Berlin'. And then, I am once more with all of my old and dear friends and relations. I am on a tour of 103 concerts and visit all the places and friends which took a part in sending me over to London. I tour the states of N.Y., Vermont, Ohio, Illinois, Wisconsin, Iowa, Minnesota, Tennessee, and back through Kentucky and Virginia to my home-state Pennsylvania. Here my mind is flooded with remembrances of friends and kindnesses such that are recorded and engraved in my heart, if not on these pages.

1871-2-3. I am at my old Danville home,[100] establishing a Musical Institute[101] with much success, also back at the same organ, church and choir. My list will prove that this period is the least productive of all my career as a composer, much to my regret, and contrary to my life's ideals.

1874. Rises its curtain upon still the most important and active scenes of my whole career. I give a farewell tour amongst my American friends, and I, with my wife and three children[102] return to my native country,[103] to accept the position of Professor of Music founded for me at the Aberystwyth University College of Wales.[104] Having deep at heart a strong desire to consecrate my life's labours to the development and promotion of the music and of the young musicians of my fellow countrymen [*sic*], as a matter of duty, in return for the noble efforts to educate me. And I together with many of my dearest friends think I can thus serve the national cause of Welsh music better by returning to Wales and accept this Professorship urged upon me. I do so, though I know it is at a great financial sacrifice to myself and family.[105] We are now as a family leaving our dear and numerous friends, my

---

[99] i.e. August 1871.

[100] At the corner of Chamber Street and Upper Mulberry Street, opposite the chapel.

[101] For a period, Parry rented rooms in a hotel opposite the Opera House on Mill Street, where Danville Post Office stands today.

[102] Their third son, William Sterndale Parry ('Willie'), was born in 1872.

[103] Parry here refers to Wales, although technically he was an American. Daniel Parry had become an American citizen on 6 October 1858, which meant that his wife Bet and every child under 21 (Henry, Joseph, Betsy and Jane) were legally Americans.

[104] The University College of Wales was established in October 1872 with 26 students.

[105] Parry received £250 per annum, a Professor's salary, but less than his earnings in America.

1868-9–1870-1 [*gweler y rhestri ar ddiwedd y gyfrol hon*]. Ym mis Awst,[99] dychwelaf gyda'm gwraig a'r plant i'n cartref yn America, ar fwrdd y llong ager, 'The City of Berlin', felly rwyf unwaith eto gyda'm hen gyfeillion a'm perthnasau oll. Rwyf ar daith o 103 o gyngherddau, gan ymweld â'r holl leoedd a chyfeillion a fu â rhan yn fy anfon i Lundain. Teithiaf drwy daleithiau Efrog Newydd, Vermont, Ohio, Illinois, Wisconsin, Iowa, Minnesota, Tennessee ac yn ôl drwy Kentucky a Virginia i dalaith fy mebyd, Pennsylvania. Yma mae fy meddwl yn gorlifo ag atgofion o gyfeillion a charedigrwydd o'r fath a gofnodir ac a argreffir yn fy nghalon, os nad ar y tudalennau hyn.

1871-2-3. Rwyf yn ôl yn fy hen gartref yn Danville,[100] yn sefydlu 'Musical Institute' llwyddiannus iawn;[101] rwyf hefyd yn ôl gyda'r un organ, eglwys a chôr. Bydd fy rhestr yn profi taw'r cyfnod hwn yw'r lleiaf ffrwythlon yn fy holl yrfa fel cyfansoddwr, er mawr siom i mi, ac yn groes i ddelfrydau fy mywyd.

Cwyd **1874** ei llen ar olygfeydd pwysicaf a mwyaf gweithgar fy holl yrfa. Cynhaliaf daith ffarwel ymhlith fy nghyfeillion Americanaidd, a dychwelaf gyda'm gwraig a'r tri phlentyn[102] i wlad fy ngenedigaeth,[103] i dderbyn swydd Athro Cerddoriaeth a sefydlwyd i mi yng Ngholeg Prifysgol Cymru Aberystwyth.[104] Mae gennyf yn ddwfn yn fy nghalon ddyhead cryf i gysegru llafur fy mywyd i ddatblygu a hyrwyddo cerddoriaeth a cherddorion ifanc fy ngwlad, fel dyletswydd ac i gydnabod yr ymdrechion anrhydeddus i'm haddysgu i. Ac rwyf i, ynghyd â llawer o'm cyfeillion anwylaf, o'r farn y gallaf wasanaethu achos cenedlaethol cerddoriaeth Cymru yn well trwy ddychwelyd i Gymru a derbyn y swydd Athro hon a anogwyd arnaf. Gwnaf hynny, er y

---

[99] h.y. Awst 1871.

[100] Ar gornel Chamber Street ac Upper Mulberry Street yn Danville, gyferbyn â'r capel.

[101] Llogodd Parry ystafelloedd dros gyfnod mewn gwesty gyferbyn â'r Tŷ Opera ar Mill Street, lle saif Swyddfa Post Danville heddiw.

[102] Ganwyd eu trydydd mab, William Sterndale Parry ('Willie') yn 1872.

[103] Mae Parry'n cyfeirio at Gymru, er ei fod yn Americanwr mewn gwirionedd. Daethai Daniel Parry yn ddinesydd Americanaidd ar 6 Hydref 1858, a golygai hyn fod ei wraig Bet a phob plentyn dan 21 oed (Henry, Joseph, Betsy a Jane) hwythau yn Americanwyr yng ngolwg y gyfraith.

[104] Sefydlwyd Coleg Prifysgol Cymru yn Hydref 1872 gyda 26 myfyriwr.

wife her parents, brother and sister,[106] and I my dear aged mother, brother and two sisters,[107] and here we are once more on the broad Atlantic in the steamer 'City of Brooklyn'(?)[108] – my sixth voyage. Reach Liverpool, wired for to adjudicate at Bangor National Eisteddfod. Moved to Aberystwyth in September, begin my college duties in October.

1875-6-7. Many students attend, three even from America.[109]

1878. I now enter, pass and receive the Cambridge music degree of Mus. Doc., also my pupil Mr. D. Jenkins[110] his Mus. Bac. degree (he was the first after me and I am the only English university Mus. Doc. from Wales)[111] and nigh all Welsh degree musicians are my students. The Mus. Doc. exercise[112] performance at the St. John's Church, Cambridge, by the Aberdare choir, the ten days tour, publication and first performances of my first opera 'Blodwen',[113] with a tour loss of £300 in the ten days, added to this the cost of £400 for publication of 'Blodwen' – a dreadful blow to my empty bank! Performances of my Mus. Doc. exercise and 'Blodwen' at Alexandria [*i.e.* Alexandra] Palace London, Bristol, Cardiff and at several south Wales towns. [*see list of compositions*]

1879. I am still here at the Aberystwyth College, College funds are low, the general students are but few, the musical students are proportionately too numerous;[114] musical students all over the country are more heard of than naturally the other generally ministerial students. [*see this year's list*] The

---

[106] Above, note 35.

[107] Above, notes 2, 3, 4: his father had died in 1866, but Parry does not mention either that or his mother's death twenty years later.

[108] The question mark is in the MS.

[109] In October 1874 the College had 86 students, 23 of whom were studying music. The three from America were Annie Owen, David Davis and Gershom T. Davies.

[110] David Jenkins (1848–1915), assistant to Parry at Aberystwyth and composer. He later became the College's Lecturer in Music and in 1910 Professor.

[111] Cf. above, note 90.

[112] *Jerusalem*, cantata, 1878, the words by 'Gwilym Hiraethog' (William Rees, 1802–83).

[113] *Blodwen*, the first opera with Welsh words, was composed in 1876–77 and received its premiere at Aberystwyth on 21 May 1878. The libretto was written by 'Mynyddog' (Richard Davies, 1833–77).

[114] Above, note 109.

gwn y golyga aberth ariannol mawr i mi a'm teulu.[105] Rydym yn awr fel teulu yn gadael ein cyfeillion annwyl a niferus, fy ngwraig ei rhieni, ei brawd a'i chwaer,[106] a minnau fy annwyl fam yn ei henaint, fy mrawd a'm dwy chwaer,[107] a dyma ni unwaith eto ar yr Iwerydd lydan ar fwrdd y llong ager 'City of Brooklyn'(?)[108] – fy chweched fordaith. Cyrraedd Lerpwl, ac anfonir brysneges ataf i feirniadu yn Eisteddfod Genedlaethol Bangor. Symud i Aberystwyth ym mis Medi a dechrau ar fy nyletswyddau yn y coleg ym mis Hydref.

1875-6-7. Mynycha nifer dda o fyfyrwyr, tri o America hyd yn oed.[109]

1878. Ymgeisiaf yn llwyddiannus am radd gerddorol Mus. Doc. Caergrawnt, ac fe'i derbyniaf; hefyd mae fy nisgybl Mr. D. Jenkins[110] yn derbyn ei radd Mus. Bac. (ef oedd y cyntaf ar fy ôl i a minnau yw'r unig Gymro i ennill Mus. Doc. o brifysgol yn Lloegr),[111] ac mae bron pawb o gerddorion graddedig Cymru yn fyfyrwyr i mi. Perfformir fy nghyfansoddiad gradd Mus. Doc.[112] yn eglwys Sant Ioan, Caergrawnt, gan gôr Aberdâr; mae'r daith ddeng niwrnod, cyhoeddi a pherfformiadau cyntaf fy opera gyntaf, 'Blodwen',[113] yn golled o £300 dros ddeng niwrnod y daith ynghyd â chost o £400 i gyhoeddi 'Blodwen' – ergyd ofnadwy i'm banc gwag! Perfformir fy nghyfansoddiad gradd Mus. Doc. a 'Blodwen' yn Alexandra Palace Llundain, Bryste, Caerdydd ac mewn sawl tref arall yn Ne Cymru [*gweler y rhestr o gyfansoddiadau*].

1879. Rwyf yma o hyd yng ngholeg Aberystwyth, mae arian y coleg yn brin, a nifer y myfyrwyr cyffredinol yn fach, mae canran yr efrydwyr

---

[105] Derbyniai Parry £250 y flwyddyn, cyflog Athro, ond llai na'i enillion yn America.

[106] Uchod, nodyn 35.

[107] Uchod, nodiadau 2, 3, 4: buasai ei dad farw yn 1866 ond nid yw Parry'n crybwyll hynny na marwolaeth ei fam ugain mlynedd yn ddiweddarach.

[108] Mae'r marc cwestiwn i'w weld yn y llawysgrif.

[109] Ym mis Hydref 1874 roedd gan y Coleg 86 myfyriwr, 23 ohonynt yn astudio cerddoriaeth. Y tri o America oedd Annie Owen, David Davis a Gershom T. Davies.

[110] David Jenkins (1848–1915), cynorthwy-ydd Parry yn Aberystwyth a chyfansoddwr. Daeth yn ddiweddarach yn Ddarlithydd mewn Cerddoriaeth yn y Coleg ac yn 1910 yn Athro.

[111] Cymh. uchod, nodyn 90.

[112] *Jerusalem*, cantawd, 1878, y geiriau gan 'Gwilym Hiraethog' (William Rees, 1802–83).

[113] Cyfansoddwyd *Blodwen*, yr opera gyntaf i eiriau Cymraeg, yn 1876–77 ac fe'i perfformiwyd gyntaf yn Aberystwyth ar 21 Mai 1878. Ysgrifennwyd y libreto gan 'Mynyddog' (Richard Davies, 1833–77).

Merthyr National Eisteddfod[115] performances of my oratorio 'Emmanuel',[116] I should not conduct, the fiasco results![117] I say nothing here – "Silence is golden" – better have it buried in the bottomless cauldron of all the dreadfulls [sic] of the past!

1880. Conducting a grand performance by the London Welsh Choir of my oratorio 'Emmanuel' at the St. James Hall.[118] Excellent press notices by all London papers. Many fine performances in North Wales.[119] I and my family are on our voyage (my seventh) to America, to see our parents, brothers, sisters, all relatives (all are in America) and many friends. This year is a black chapter in my life, my health breaks down, inexplicable sufferings (from gall stones),[120] and became [sic] more and more critical. In Cincinnati, at a dear friend's house, was seriously ill, for two weeks in bed. Return to Wales,[121] Aberystwyth, for reasons stated to the surprise of the nation at large the musical department (together with some other subjects) is discontinued. Though I had left a more lucrative position in America to accept this, a Professorship, understood for life, yet I say and write nothing, but the whole nation is surprised. It has always come to me that the national success of my tune 'Aberystwyth', composed about 1876,[122] named after the place, comes as a rebuke to the Council[123] for discontinuing its duties to its nation's most prominent gifts, namely music, since this subject was of no financial burden to them. The very success of its music was its own fault and doom! [see list

---

[115] Held from 30 August to 2 September 1881, not in 1879.

[116] An oratorio, composed between 1869 and 1878 and incorporating earlier music as well as the cantata *Jerusalem*.

[117] The performance took place on 1 September 1881, and failed in spite of the well-known soloists, Mary Davies, Lizzie Williams, Lizzie Evans, Eos Morlais, Lewis Thomas, Ben Davies. Parry had to conduct at short notice.

[118] This performance took place on 12 May 1880.

[119] Performances took place at Blaenau Ffestiniog on 21–23 June. There were also performances in South Wales, at Ton-du on 14 June, Cwmafan on 15 June, and Maesteg on 16 and 17 June.

[120] The MS has 'continued for two years' deleted.

[121] In October 1880.

[122] Some editions of the tune cite 1877 as the year of composition.

[123] The Council was the University College's ruling body.

cerddoriaeth yn rhy uchel;[114] clywir amdanynt ledled y wlad yn naturiol fwy na'r myfyrwyr eraill, diwinyddol yn bennaf [*gweler rhestr eleni*]. Yn Eisteddfod Genedlaethol Merthyr,[115] perfformir fy oratorio 'Emmanuel',[116] ni ddylwn arwain, y fath ffiasgo o ganlyniad![117] Ni ddywedaf ddim − 'Taw piau hi' − gwell yw claddu hyn ym mhair diwaelod holl erchyllterau'r gorffennol!

1880. Rwy'n arwain perfformiad mawreddog gan Gôr Cymry Llundain o'm horatorio 'Emmanuel' yn Neuadd St James.[118] Ceir adolygiadau ardderchog yn holl bapurau Llundain, ynghyd â sawl perfformiad o safon yng ngogledd Cymru.[119] Rwyf i a'm teulu ar ein mordaith (fy seithfed) i America, i weld ein rhieni, brodyr, chwiorydd a'r holl berthnasau (maent yn America bob un) a llawer o gyfeillion. Mae eleni yn bennod ddu yn fy mywyd; mae fy iechyd yn pallu, dioddefaf boenau anesboniadwy (cerrig y bustl)[120] a gwaethyga fy nghyflwr fwyfwy. Yn Cincinnati rwy'n ddifrifol wael, gan fod yn y gwely am bythefnos yn nhŷ cyfaill annwyl. Dychwelaf i Gymru[121] ac i Aberystwyth, ond am resymau a roddir er syndod y genedl gyfan, diddymir yr adran gerdd (ynghyd â sawl pwnc arall). Er imi adael swydd a dalai'n well yn America i dderbyn hyn, swydd Athro dros oes fel y deallwn, eto ni ddywedaf ac nid ysgrifennaf ddim, ond fe synnir y genedl gyfan. Meddyliais erioed fod llwyddiant fy nhôn 'Aberystwyth', a gyfansoddwyd tua 1876[122] ac a enwyd ar ôl y lle, yn gerydd ar y Cyngor[123] am roi'r gorau i'w dyletswydd

---

[114] Uchod, nodyn 109.

[115] Cynhaliwyd o 30 Awst hyd 2 Medi 1881, nid yn 1879.

[116] Oratorio a gyfansoddwyd rhwng 1869 a 1878; corfforwyd ynddi gerddoriaeth gynharach yn ogystal â chantawd Parry *Jerusalem*.

[117] Perfformiwyd y gwaith ar 1 Medi 1881, ac fe fethodd er gwaethaf yr unawdwyr adnabyddus, Mary Davies, Lizzie Williams, Lizzie Evans, Eos Morlais, Lewis Thomas, Ben Davies. Bu raid i Parry arwain ar rybudd byr.

[118] Dyddiad y perfformiad hwn oedd 12 Mai 1880.

[119] Cafwyd perfformiadau ym Mlaenau Ffestiniog ar 21–23 Mehefin. Cafwyd perfformiadau yn Ne Cymru yn ogystal, yn Nhon-du ar 14 Mehefin, Cwmafan ar 15 Mehefin, a Maes-teg ar 16 a 17 Mehefin.

[120] Dilewyd 'parhaodd am ddwy flynedd' yn y llawysgrif.

[121] Ym mis Hydref 1880.

[122] Mae rhai argraffiadau o'r dôn yn rhoi'r dyddiad cyfansoddi 1877.

[123] Y Cyngor oedd corff llywodraethol Coleg y Brifysgol.

for Aberystwyth] Selections of one hour from my 'Emmanuel' at the Crystal Palace London;[124] another success.

1881 to 1888. My life's next scenes of the venerable Dr. Thomas Rees,[125] Swansea, induced me to move there to establish a 'Musical College, for Wales' and become organist to his chapel (Ebenezer).[126] I am there for seven happy years of my life; I here write some of my best compositions.[127] [*see list*] The Prince and Princess of Wales visit Swansea and open a new Dock;[128] I am asked to write 'Hail Prince of Wales' March and conduct the choir of 2000 voices and three brass bands, a great success against the much opposition of a local Choral Society![129] The curtain goes up for still other scenes in life. [*for the Swansea compositions, see list*] Through the constant inducements of Dr. Rees, I here begin my Welsh National Tune Book.[130]

1882. My first National Eisteddfod commission to write and produce a new work; I did 'Nebuchadnezzar' – a great success.[131] [*see list for this year*]

Through the efforts of Mayor and the Cardiff Cymrodorion Society, I am appointed lecturer in Music at the Cardiff University College for South Wales and Monmouthshire. Here I find a still larger sphere of usefulness.[132] For three years,[133] I conduct the Cardiff Orchestral Society. Give some

---

[124] This performance took place on 9 June 1880 before an audience of 6,000.

[125] Thomas Rees (1815–85), minister, historian, hymn-writer, author and musician. He ministered at Ebeneser, Swansea from 1861 until his death.

[126] Situated in Ebenezer St., Swansea, the chapel was built in 1803 and rebuilt in 1862.

[127] Parry's compositional talent improved and matured with time.

[128] The Prince of Wales Dock, Swansea was opened on 18 October 1881.

[129] Parry is too much the gentleman to name this 'opposition', but his new choral society created tension between it and other established societies.

[130] A collection of Parry hymn-tunes, published in four parts – I: 1887, II: 1888, III: 1889, IV: 1891.

[131] It was the practice of the National Eisteddfod of Wales to pay composers to write a large-scale work for performance during the festival. This commission was for the Liverpool National Eisteddfod in 1884. The cantata received its first performance on 18 September 1884.

[132] Parry took up his new post in Cardiff on 9 October 1888.

[133] i.e. from 1889 to 1892.

at ddawn amlycaf y genedl, sef cerddoriaeth, yn enwedig gan nad oedd y pwnc yn faich ariannol arnynt. Bai a thranc cerddoriaeth oedd ei llwyddiant! [*gweler y rhestr ar gyfer Aberystwyth*] Rhoddir detholiad un awr o'm 'Emmanuel' yn y Palas Grisial, Llundain;[124] llwyddiant arall.

1881 i 1888. Gwêl golygfeydd nesaf fy mywyd yr hybarch Ddr. Thomas Rees,[125] Abertawe, yn fy narbwyllo i symud yno i sefydlu 'Coleg Cerddorol i Gymru' ac i fod yn organydd ei gapel (Ebeneser).[126] Rwyf yno am saith mlynedd hapus o'm hoes; yma y cyfansoddaf rai o'm gweithiau gorau[127] [*gweler y rhestr*]. Mae Tywysog a Thywysoges Cymru yn ymweld ag Abertawe i agor doc newydd.[128] Gofynnir imi gyfansoddi ymdeithgan, 'Hail Prince of Wales', ac i arwain y côr o ddwy fil o leisiau a thair seindorf bres, llwyddiant aruthrol er gwaethaf gwrthwynebiad mawr Cymdeithas Gorawl leol![129] Cwyd y llen ar olygfeydd eraill eto yn fy mywyd [*am gyfansoddiadau Abertawe, gweler y rhestr*]. Trwy anogaethau cyson Dr. Rees, dechreuaf yma ar fy Llyfr Tonau Cenedlaethol Cymreig.[130]

1882. Fy nghomisiwn cyntaf gan yr Eisteddfod Genedlaethol i ysgrifennu a chynhyrchu gwaith newydd; gwneuthum 'Nebuchadnezzar' – llwyddiant mawr[131] [*gweler rhestr am eleni*].

Trwy ymdrechion y Maer a Chymdeithas Cymrodorion Caerdydd, fe'm penodir yn ddarlithydd mewn Cerddoriaeth yng Ngholeg Prifysgol De Cymru a Mynwy yng Nghaerdydd. Yma caf hyd i gylch ehangach fyth o

---

[124] Perfformiwyd y gwaith ar 9 Mehefin 1880 gerbron cynulleidfa o 6,000.

[125] Thomas Rees (1815–85), gweinidog, hanesydd, emynydd, awdur a cherddor. Bu'n gweinidogaethu yn Ebeneser, Abertawe o 1861 tan ei farw.

[126] Lleolwyd y capel yn Ebenezer Street, Abertawe: fe'i codwyd yn 1803 a'i ail-adeiladu yn 1862.

[127] Datblygodd ac aeddfedodd dawn gyfansoddi Parry gydag amser.

[128] Agorwyd Doc Tywysog Cymru yn Abertawe ar 18 Hydref 1881.

[129] Mae Parry yn ormod o ŵr bonheddig i enwi'r 'gwrthwynebiad', ond creodd ei gymdeithas gorawl newydd ef dyndra rhyngddi a chymdeithasau sefydlog eraill.

[130] Casgliad o emyn-donau gan Parry, a gyhoeddwyd yn bedair rhan – I: 1887, II: 1888, III: 1889, IV: 1891.

[131] Arfer yr Eisteddfod Genedlaethol oedd talu i gyfansoddwyr i ysgrifennu gwaith ar raddfa fawr i'w berfformio yn ystod yr ŵyl. Comisiynwyd y gwaith hwn ar gyfer Eisteddfod Genedlaethol Lerpwl yn 1884, ac fe'i perfformiwyd am y tro cyntaf ar 18 Medi 1884.

Joseph Parry and family   **Joseph Parry a'i deulu**

Back/Cefn: Joseph Haydn Parry, Daniel Mendelssohn Parry, William Sterndale Parry
Front/Blaen: Annie Edna Parry, Joseph Parry, Dilys Joseph Parry, Jane Parry

Chapel Row, Merthyr Tydfil

Reproduced from/Atgynhyrchwyd o: *Cofiant Dr. Joseph Parry* gan E. Keri Evans

A page from the full score of Parry's opera *Blodwen*/Tudalen o sgôr lawn opera Parry, *Blodwen*

(Llyfrgell Genedlaethol Cymru/The National Library of Wales, NLW19772E)

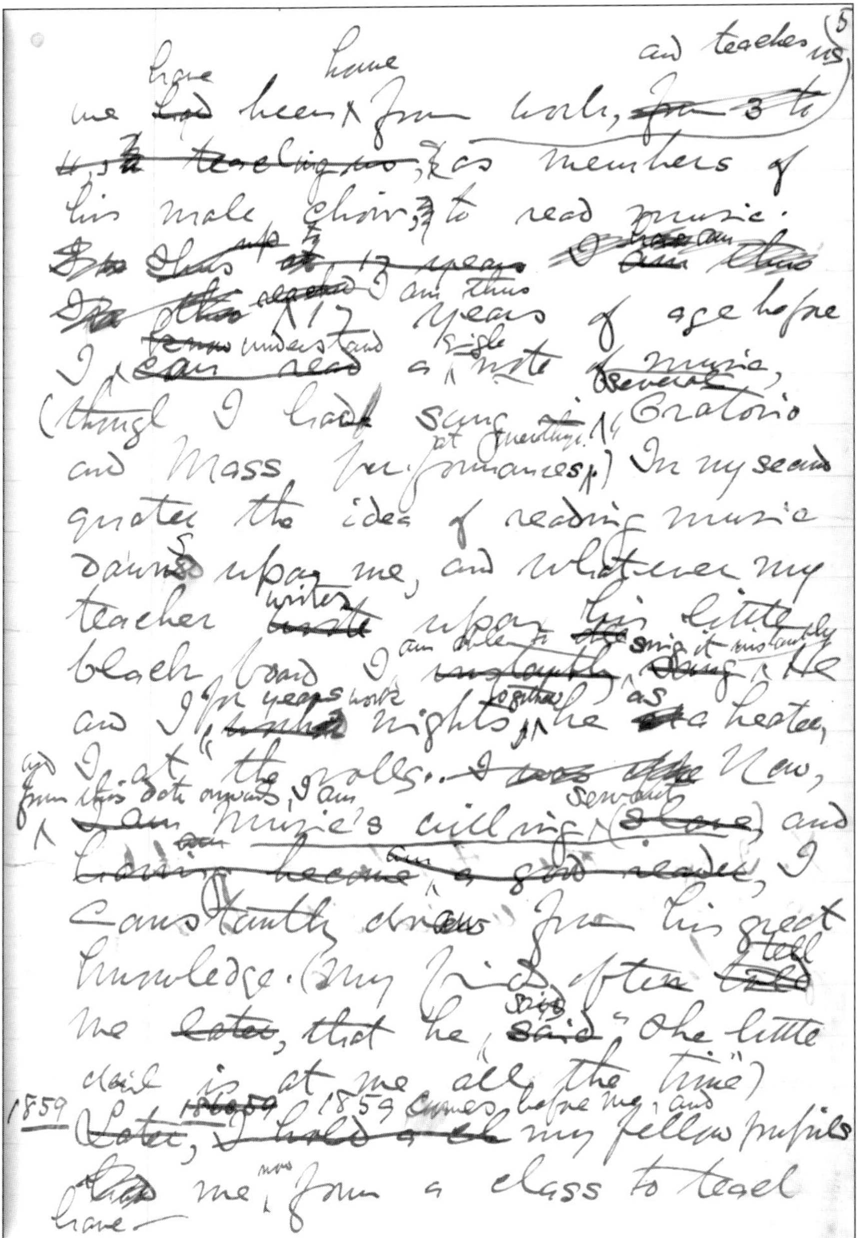
(5

me have been from work, and teaches us as members of his male choir, to read music. Thus up to 17 years I am thus 17 years of age before I understand a single note of music, (though I had sung at several Oratorio and Mass performances at Eisteddfodau) In my second quarter the idea of reading music dawns upon me, and whatever my teacher writes upon his little black board I am able to sing it instantly. He and I for years work nights together as he heater, I at the walls. Now, and from this date onwards I am music's willing servant and having become a good reader, I constantly draw from his great knowledge. (My friend often tell me, that he says "the little devil is at me all the time")
1859 1859 comes before me, and my fellow pupils have me now form a class to teach

A page of the manuscript autobiography/Tudalen o'r hunangofiant mewn llawysgrif

(Llyfrgell Genedlaethol Cymru/The National Library of Wales, NLW9661D)

lectures at the Cymrodorion[134] on various musical subjects: the Masters, forms, styles and characteristics. My second National Eisteddfod commission Saul of Tarsus at Rhyl,[135] by much the largest audience of the whole Eisteddfod. Oh Time! Oh Time, Thou art a cruel mother, giving birth to sad and sorrowful incidents and events, that ye this year send thy servant death into our quiet and happy family circle, taking from among us our dearly beloved Willie (William Sterndale) and you give us, oh, such a task of laying him in a cold dark grave, never to see his sweet and gentle face again, until we shall meet him in that eternal and unchangeable home above.[136] Thus thou 1892 hast been to our family the most cruel of all thy years! [see list for 1885-89]

1893? [sic] Still another of thy years of misfortunes for our family: my life's labours in published works of stereotyped plates to the value of some £800 to £900 are lost in the 'Western Mail' fire,[137] without a penny's compensation, though they were morally responsible; adding to this the continuous losses of the sales for the future. My son Haydn and I conducting at St. James Hall, London[138] grand performance of his 'Gwen'[139] and I 'Nebuchadnezzar', great successes.

1894? [sic] Oh cruel Time! with thy servant death! Why thus visit our family circle again? and so soon? and rob us of our dear and gifted son, Haydn,[140] his wife and two children[141] of their supporter and the country of

---

[134] The Cardiff Cymrodorion Society was established in 1885 on the model of the London Cymmrodorion (cf. above, note 14).

[135] Parry composed this oratorio in 1891 and it was first performed on 8 September 1892 with soloists Maggie Davies, Ben Davies, and Ffrangcon Davies.

[136] William Sterndale Parry died on 5 April 1892, aged 20, and was buried in St. Augustine's cemetery, Penarth.

[137] The Western Mail, now Wales's national daily newspaper, was founded in Cardiff in 1869. Its buildings were gutted by fire on the night of 3 June, 1893.

[138] The performance took place on 6 May 1890, not 1893 as Parry implies.

[139] Gwen, a cantata, the music by Joseph Haydn Parry and words by J. Young Evans (1865–1941).

[140] Haydn Parry died on 29 March 1894, aged 29.

[141] Louise (born 'Louisa') Watkins married Haydn in Swansea in 1888. Their children were Laurie Margery Parry (b.1889) and Arthur Haydn Parry (b.1892).

ddefnyddioldeb.[132] Am dair blynedd[133] arweiniaf Gymdeithas Gerddorfaol Caerdydd. Rhoddaf rai darlithiau i'r Cymrodorion[134] ar amryw bynciau cerddorol: y meistri, ffurfiau, arddulliau a nodweddion. Fy ail gomisiwn i'r Eisteddfod Genedlaethol, *Saul of Tarsus* yn y Rhyl,[135] cynulleidfa fwyaf yr Eisteddfod gyfan, o bell ffordd. O Amser! O Amser, yr wyt yn fam greulon, sy'n esgor ar helyntion trist a digwyddiadau, fel yr anfoni eleni dy was angau i'n cylch teuluol tawel a dedwydd, gan gymryd o'n plith ein hanwylaf Willie (William Sterndale) a rhoi i ni'r fath orchwyl o'i osod mewn bedd oer a thywyll, heb weld ei wyneb hawddgar a thyner fyth eto nes inni gwrdd ag ef yn y cartref tragwyddol a digyfnewid hwnnw fry.[136] Felly dithau 1892, buost i'n teulu y flwyddyn greulonaf o bob blwyddyn! [*gweler rhestr 1885–89*]

1893? [*sic*] Blwyddyn arall eto o anffawd i'n teulu: collir ôl llafur fy mywyd sef argraffblatiau fy ngweithiau a gyhoeddwyd, gwerth rhwng £800 a £900, yn nhân y *Western Mail*,[137] heb geiniog o iawndal, er eu bod yn foesol gyfrifol; ychwaneger at hyn golled barhaol gwerthiannau'r dyfodol. Rwyf i a'm mab Haydn yn Neuadd St. James, Llundain[138] yn arwain perfformiad mawreddog o'i *Gwen*[139] a'm *Nebuchadnezzar*, llwyddiannau mawr.

1894? [*sic*] O Amser creulon! gyda'th was angau! Paham yr ymweli eto â'n cylch teuluol? ac mor fuan? gan ein hamddifadu ni o'n mab annwyl a

---

132 Dechreuodd Parry ar ei swydd newydd yng Nghaerdydd ar 9 Hydref 1888.

133 h.y. o 1889 hyd 1892.

134 Sefydlwyd Cymdeithas Cymrodorion Caerdydd yn 1885 ar batrwm Cymmrodorion Llundain (cymh. uchod, nodyn 14).

135 Cyfansoddodd Parry yr oratorio hon yn 1891 ac fe'i perfformiwyd am y tro cyntaf ar 8 Medi 1892 gyda Maggie Davies, Ben Davies a Ffrangcon Davies yn unawdwyr.

136 Bu farw William Sterndale Parry ar 5 Ebrill 1892 yn 20 oed, ac fe'i claddwyd ym mynwent eglwys St. Awstin, Penarth.

137 Sefydlwyd y *Western Mail*, papur dyddiol cenedlaethol Cymru, yng Nghaerdydd yn 1869. Difrodwyd ei adeiladau gan dân ar noson 3 Mehefin 1893.

138 Perfformiwyd y gweithiau ar 6 Mai 1890, nid yn 1893 fel yr awgryma Parry.

139 *Gwen*, cantawd, y gerddoriaeth gan Joseph Haydn Parry a'r geiriau gan J.Young Evans (1865–1941).

their [sic] genius? Thy ever revolving wheel thus grinds us heavily and crush [sic] our drooping spirits! How changeable thou art! thus bringing joys and sorrows alike to all thy children!

1894. My wife, Dilys,[142] and I are on our way to America (my seventh trip), boat 'Etruria'. Some lecture concerts, Eisteddfods. The meeting once more of my relations and friends, return in the 'Cumbria'. The ever memorable Rosebery Hall Male Concert[143] for my National Testimonial Fund: nine of the best South Wales Male Choirs, and an audience of some 9,000 people. The effects of all the nine choirs always collectively will ever re-echo in my ears till thou droppest thy life's curtains.

1896. My third National Eisteddfod commission, <u>Cambria</u> at Llandudno,[144] another great success, though hear the Eisteddfod choir were in danger for a <u>creditable</u> performance, still I secured for the work and choir a <u>good success</u> and <u>reception</u>. The presentation of the National Testimonial £630[145] (appropriate to the purchase of my present home 'Cartref', Penarth).[146] This record would be an incomplete and unjust one were the name of the Hon. Anthony Howells[147] left out, as it was he who was treasurer of the <u>first</u> Parry Fund,[148] 1866 to 1871, at Youngstown, Ohio, as well as of this Parry Testimonial Fund; and the success of both were largely due to his <u>constant</u> and <u>persistent</u> efforts. This poor human nature of ours is weak, changeable, and unreliable with <u>many</u>, but not <u>so</u> with you my ever faithful friend, towards me.

---

[142] Dilys Joseph Parry, daughter of Joseph and Jane, was born in 1884 and died on 4 August 1914.

[143] This concert took place on 29 June 1895 at the Rosebery (market) Hall in Canton, Cardiff.

[144] *Cambria*, a cantata, the words by O. M. Edwards (1858–1920), John Morris-Jones (1864–1929) and 'Dewi Môn' (David Rowlands, 1836–1907), performed at the Llandudno National Eisteddfod on 1 July 1896.

[145] The testimonial was made up of contributions from Wales (£494 9s. 1d.), America (around $590 or £119), and England (£15 6s.). The presentation ceremony was followed by the performance of *Cambria*.

[146] Penarth is a town south of Cardiff.

[147] Anthony Howells was the American consul in Cardiff during the 1890s.

[148] Above, p. 22.

thalentog, Haydn,[140] ei wraig a'r ddau blentyn[141] o'u cynhaliwr a'r wlad o'i athrylith? Felly mae dy olwyn ddi-aros yn ein malu'n drwm ac yn llethu ein hysbryd gwywedig! Mor gyfnewidiol wyt ti! yn dod â llawenydd a thristwch fel ei gilydd i'th holl blant!

1894. Mae fy ngwraig, Dilys,[142] a minnau ar ein ffordd i America (fy seithfed daith) yn y llong 'Etruria'; ambell ddarlith-gyngerdd ac eisteddfodau. Unwaith eto, cyfarfyddwn â pherthnasau a chyfeillion, gan ddychwelyd ar fwrdd y 'Cumbria'. Byth nid anghofiaf gyngerdd corau meibion yn Neuadd Rosebery[143] er budd cronfa fy Nhysteb Genedlaethol: naw o gorau meibion gorau De Cymru a chynulleidfa o ryw 9,000. Bydd effeithiau'r naw côr gyda'i gilydd yn atseinio yn fy nghlustiau nes disgyn llen bywyd.

1896. Perfformir fy nhrydydd comisiwn ar gyfer yr Eisteddfod Genedlaethol, sef *Cambria* yn Llandudno[144] – llwyddiant mawr arall, er bod côr yr Eisteddfod mewn perygl o roi datganiad canmoladwy, eto sicrheais i lwyddiant a derbyniad da i'r gwaith a'r côr. Cyflwynwyd Tysteb Genedlaethol, gwerth £630[145] (addas i brynu fy nhŷ presennol, 'Cartref', Penarth).[146] Byddai'r cofnod hwn yn anghyflawn ac yn anghyfiawn pe bai'n hepgor enw yr Anrhydeddus Anthony Howells,[147] oherwydd ef oedd trysorydd y Gronfa Parry gyntaf,[148] o 1866 hyd 1871, yn Youngstown, Ohio, yn ogystal â Chronfa Tysteb Parry; ac roedd llwyddiant y ddwy i'w briodoli yn bennaf i'w ymdrechion cyson a diflino ef. Mae'n hen ysbryd dynol ni yn

---

[140] Bu farw Haydn Parry ar 29 Mawrth 1894, yn 29 oed.

[141] Priododd Louise ('Louisa' yn wreiddiol) Watkins â Haydn yn Abertawe yn 1888. Eu plant oedd Laurie Margery Parry (g.1889) ac Arthur Haydn Parry (g.1892).

[142] Ganed Dilys Joseph Parry, merch Joseph a Jane, yn 1884 a bu farw ar 4 Awst 1914.

[143] Cynhaliwyd y cyngerdd hwn yn Neuadd (farchnad) Rosebery, Treganna, Caerdydd, ar 29 Mehefin 1895.

[144] *Cambria*, cantawd, y geiriau gan O. M. Edwards (1858–1920), John Morris-Jones (1864–1929) a 'Dewi Môn' (David Rowlands, 1836–1907). Fe'i perfformiwyd yn Eisteddfod Genedlaethol Llandudno ar 1 Gorffennaf 1896.

[145] Cynhwysai'r dysteb gyfraniadau o Gymru (£494 9s. 1d.), America (tua $590 neu £119) a Lloegr (£15 6s.). Dilynwyd y seremoni gyflwyno gan berfformiad *Cambria*.

[146] Tref i'r de o Gaerdydd.

[147] Anthony Howells oedd Conswl America yng Nghaerdydd yn ystod yr 1890au.

[148] Uchod, t. 23.

1897. My North and South Wales Tonic Sol-Fa choirs of 3000 at the Crystal Palace, London, selections of my writings.[149] My Tone Poem, I: Night and Sleep, II: Dream Visions of Hell, III: Dream Visions of Heaven, for Chorus, Organ, Orchestra and Four Brass Bands – sorry to record choirs had not half learnt the music!

1898 [*for this year's creations see list*]

1898. Thus Time findeth me on the wing to the Salt Lake City (Utah) Eisteddfod in the Mormon Tabernacle (my eleventh voyage, in the Campagnia). Once more revisiting all of you, my Pennsylvanian near relations, and friends, as well as my Ohio friends. And you, my Tennessee cousins, families and grandchildren, after an absence of some 27 years.[150] The family gatherings, the singing of old Danville Hymn Tunes, the speeches, graphophone[151] talks to be sent over to Wales to my wife and children, together with the tears shed by us all (and our families somehow are most emotional) are now vividly re-echoing themselves, as telling verses in the long chapter of life. I am leaving them on a Tuesday night with [the] eight night train for Louisville, Kentucky, take my usual sleeping car, breakfasting Wednesday morning at Louisville. We are on the go westward, reaching St. Louis Missouri by supper time the same day. Here a remarkably fine Depot of no less than thirty-two trains, seventeen platforms ready to start to all parts of this vast American continent. We leave about 8:30, enter my sleeping car, reaching Kansas City for breakfast the next day (Thursday). During my two hours wait here, I mount an electric car for a good view of the whole city. At 10a.m. we are resuming our ever westward journey with our dining car with us, as for the whole day, we fly over everlasting table prayrie [*sic*] land, and so sandy, our eyes and ears much troubled with the sand. Enter my sleeping car for this, my third night. Friday morning 7.30, arriving in Denver Colorado. Surprised, and of course filled with gratitude to some half a dozen of my fellow countrymen,[152] also an old friend, and an

---

[149] The performance took place on 17 July 1897.

[150] Parry had last visited in October 1871 when he embarked on a concert tour of eastern states after returning to Danville from London.

[151] A 'phonograph' machine as manufactured by the Thomas Edison or Columbia companies and imported into Europe.

[152] Presumably Parry refers to Welsh people (cf. above, note 103).

wan, yn gyfnewidiol, ac yn annibynadwy, ond nid felly gyda thi, fy nghyfaill bythol ffyddlon, tuag ataf i.

1897. Mae fy nghorau Tonic Sol-ffa o 3,000 o Ogledd a De Cymru yn y Palas Grisial, Llundain yn datgan detholion o'm gwaith.[149] Fy 'Tone Poem' – I: 'Night and Sleep', II: 'Dream Visions of Hell', III: 'Dream Visions of Heaven' i gôr, organ, cerddorfa a phedair seindorf bres – ond mae'n ddrwg gennyf gofnodi nad oedd y corau wedi hanner dysgu'r gerddoriaeth!

1898 [*gweler y rhestr am greadigaethau eleni*]

1898. Darganfydda Amser fi ar adain tuag at Eisteddfod Salt Lake City (Utah) yn Nhabernacl y Mormoniaid (fy unfed daith ar ddeg, ar y 'Campagnia'). Unwaith eto, ymwelaf â chwi i gyd, berthnasau agos a chyfeillion Pennsylvania, yn ogystal â'm ffrindiau yn Ohio. A chwithau gefndryd, teuluoedd ac wyrion Tennessee, ar ôl bwlch o ryw saith mlynedd ar hugain.[150] Mae'r ymgasglu teuluol, canu hen emyn-donau Danville, yr areithiau, y sgyrsiau graffoffôn[151] i'w hanfon i Gymru at fy ngwraig a'm plant, ynghyd â'r dagrau a gollwyd gennym i gyd (ac mae'n teuluoedd rywsut yn emosiynol iawn) yn eu hailadrodd eu hunain yn fyw, fel adnodau grymus ym mhennod hir bywyd. Fe'u gadawaf ar nos Fawrth ar drên wyth o'r gloch i Louisville, Kentucky; cymeraf fy ngherbyd cysgu arferol, gan gael brecwast yn Louisville ar fore Mercher. Awn tua'r gorllewin, a chyrraedd St. Louis, Missouri erbyn amser swper yr un dydd. Mae yma orsaf arbennig iawn – dim llai na deuddeg ar hugain o drenau a dau blatfform ar bymtheg yn barod i gychwyn i bob rhan o gyfandir anferth America. Gadawn tua 8.30, af i'm cerbyd cysgu, a chyrhaeddwn Kansas City i frecwast drannoeth (dydd Iau). Yn ystod fy arhosiad o ddwy awr yma, af ar gerbyd trydan i gael golwg dda ar y ddinas gyfan. Am 10 y bore rydym unwaith eto ar ein ffordd tua'r gorllewin, a'r cerbyd bwyta gyda ni, wrth i ni wibio drwy'r dydd dros wastadedd diddiwedd y paith, sydd mor dywodlyd, a'r tywod yn peri trafferth i'n llygaid a'n clustiau. Af i'm cerbyd cysgu ar gyfer fy nhrydedd noson. Am 7.30 fore Gwener, cyrhaeddwn Denver, Colorado. Rwy'n

---

[149] Cynhaliwyd y cyngerdd hwn ar 17 Gorffennaf 1897.

[150] Y tro diwethaf i Parry ymweld oedd ym mis Hydref 1871 pan aeth ar daith gyngherddau yn y taleithiau dwyreiniol wedi dychwelyd i Danville o Lundain.

[151] Peiriant 'ffonograff' o'r math a wnaethpwyd gan gwmnïau Thomas Edison neu Columbia ac a fewnforiwyd i Ewrop.

old Danville pupil[153] meeting me at the Depot with one of their carriages. A reception there and then arranged for me at one of their houses to meet seventy of their leading citizens and professional musicians. They drive me around their most remarkable of cities.[154] The renowned Rocky Mountains in the distance, the same range for <u>5000</u> miles stretch still westwards. But forty years ago this spot was one of wild animals and Indians, is transformed to one of the most charming of modern cities to a population of 180,000 with the most beautiful of parks, streets, buildings of stores, hotels, opera houses, churches, school houses, and state buildings that have come as by magic, through the gold, lead and silver mines that spot the mountain ranges for some thousand miles into this huge, colossal and indescribable chain of Rocky Mountains. The friends here are so kind to me. The next day, Saturday at 11a.m., I leave for Colorado Springs – 76 miles – and see grand sights and I now reach Colorado Springs and stay the night here. I visit "Manitou" and its renowned springs at the foot of Pike's Peak. On my return I drive through 'The Garden of the Gods' midway between Manitou and Colorado Springs. I here at Colorado Springs enquire for some Welsh people and find a Mr James (from Cardiff) – one of the earliest settlers here – also a Joseph Parry (from North Wales) and a most genial Welsh banker Mr Stephens of the Cripple Creek gold mines. He directs me to the great Chiene Canyone, spends the whole of the evening and Sunday morning with me till my start to my still westward journey.

Now, these Rocky Mountains are so truly wonderful, baffling all description. They tower skywards in all forms, in the wildest and most rugged masses. We pass through some huge gorges. Our train constantly persevering, insisting, and demanding passages here and there, mounting upwards, even as high as 14,000 feet above water level, as at Leadville. Night comes on, and her silvery queen illumines and transforms those countless masses as into Nature's <u>Cathedrals</u> and <u>Castles</u>. Sleep comes on, and one feels thwarted, astounded, yes fatigued by wonderment with these heavenward heaps that as an infant of time bed and sleep are indeed sweet to me. Monday morning now comes, and I find myself still dwarfed by the same range of mountains. I have left Colorado state, and am now in the state of Utah; and

---

[153] It is a pity that Parry does not name anyone.
[154] i.e. Denver, Colorado.

synnu, ac mor ddiolchgar i hanner dwsin o'm cydwladwyr,[152] hefyd hen gyfaill a chyn-ddisgybl i mi o Danville,[153] am gyfarfod â mi mewn cerbyd yn yr orsaf. Trefnir yn y fan a'r lle dderbyniad imi yn nhŷ un ohonynt i gwrdd â saith deg o'u dinasyddion amlycaf a'u cerddorion proffesiynol. Gyrrant fi o amgylch y ddinas ryfeddol hon.[154] Yn y pellter mae'r Mynyddoedd Creigiog enwog, yr un gadwyn sy'n ymestyn dros 5000 o filltiroedd tua'r gorllewin. Dim ond deugain mlynedd yn ôl roedd y llecyn hwn yn gartref anifeiliaid gwyllt ac Indiaid; fe'i trawsnewidiwyd yn un o'r hyfrytaf o ddinasoedd modern, gyda phoblogaeth o 180,000 ynghyd â pharciau gyda'r harddaf, strydoedd, adeiladau'n llawn siopau, gwestai, tai opera, eglwysi, ysgoldai ac adeiladau'r llywodraeth, sydd wedi ymddangos yma fel ôl llaw dewin, ynghyd â'r mwyngloddiau aur, plwm ac arian sy'n britho cadwyn fawr, rhyferthol ac annisgrifiadwy y Mynyddoedd Creigiog dros ryw fil o filltiroedd. Mae fy nghyfeillion yma mor garedig tuag ataf. Drannoeth, am 11 fore Sadwrn, gadawaf i fynd i Colorado Springs – 76 milltir; gwelaf ryfeddodau mawr cyn cyrraedd Colorado Springs a threulio'r noson yno. Ymwelaf â Manitou gyda'i nentydd enwog wrth odre Pike's Peak. Wrth ddychwelyd, gyrraf drwy 'Ardd y Duwiau' hanner ffordd rhwng Manitou a Colorado Springs. Yma yn Colorado Springs, holaf am Gymry a darganfod Mr James (o Gaerdydd) – un o'r ymsefydlwyr cynharaf yma – hefyd Joseph Parry (o Ogledd Cymru) a banciwr siriol o Gymro, Mr Stephens o Weithfeydd Aur Cripple Creek. Mae ef yn fy nghyfarwyddo at Geunant anferth Chiene, ac mae'n treulio gweddill y noson a bore Sul gyda mi nes imi ymadael unwaith eto ar fy nhaith tua'r gorllewin.

Mae'r Mynyddoedd Creigiog mor wirioneddol ryfeddol, maent y tu hwnt i bob disgrifiad. Ymestynnant tua'r nen ymhob ffurf, y talpiau mwyaf gwyllt a gerwin. Teithiwn trwy geunentydd anferth. Mae ein trên yn ymdrechu'n gyson, gan fynnu a hawlio'i ffordd yma a thraw, gan godi'n uwch ac uwch, mor uchel â 14,000 troedfedd uwchlaw lefel y môr, fel yn Leadville. Daw nos, ac mae ei brenhines arian yn goleuo ac yn trawsffurfio'r talpiau dirifedi hyn yn eglwysi cadeiriol a chestyll natur. Daw cwsg, a theimlaf wedi fy ngorchfygu, wedi fy syfrdanu, ie ac wedi ymlâdd oherwydd

---

[152] Mae'n debyg fod Parry'n cyfeirio at ei gyd-Gymry (cymh. nodyn 103 uchod).
[153] Mae'n drueni nad yw Parry'n enwi neb.
[154] h.y. Denver, Colorado.

nearing Salt Lake City after having travelled within those wonderful mountains for <u>716 miles</u>. At 2p.m. I arrive at my destination.

A deputation meets me, drive me to my hotel (Kenyon) where a suite of three rooms are engaged for me. This city[155] and its people are a veritable heaven of kindness! I am driven over this most charming city of 80,000 in forty two years; lying as it does in a huge basin, surrounded by the Rockies, climate perfection, streets, parks, buildings, churches etc. – wonderful in this detached and inner new world! The much abused and ill-described Mormon friends are noted for their hospitality and generosity. Their homes, whose [*sic*] I daily visited, were such as if I were in any other European, or American home. Their wonderful Tabernacle seating <u>10,000</u> people, their choir 600 seats; accoustics phenomenal [*sic*] – not a single pillar nor nail. The Building situated within a beautiful site. The Temple also is remarkable for its beauty internally and externally. A special train with many friends takes me to their Salt Lake, some 13 miles out: 20 miles wide, 120 long, water seven times more salty than ocean water. I bath – cannot sink; water clear as crystal. 3,000 can bath at the one time, 500 couples can dance together in their fine Pavillion [*sic*]. I am invited to visit Ogden, 37 miles down the line, where electric power and light are made for Salt Lake City. Met by Mayor and Corporation, one of them another Joseph Parry. The choir, and able young conductor Mr Coup, take me in a picnic to their celebrated Canyon, some eight miles – a jolly meal there, altogether a day such that lodges within the pages of the mind's diary. The Eisteddfod is held first week in October, during their Conference, 10-15,000 attend. Eisteddfod meetings fine, six choirs competing on my 'Ar Don'[156] – good singing, as a week of Wales in the Rockies. I deliver in the Tabernacle – large audience – my Lecture on the Masters: Mozart, Schubert, Beethoven, Schumann and Chopin, as I had done at many cities[157] on my journey westward. I am also honoured with a special performance of an Opera at their fine opera house, built some thirty years ago. The whole company of Chorus, Principals and Orchestra are Mormons, and the performance, staging, acting and sceneries, made me feel as if I were in London. I meet two old couples from old Bethesda chapel,

---

[155] i.e. Salt Lake City, Utah.

[156] It is not clear which setting is meant (cf. above, notes 59, 60).

[157] These locations are not named.

y crugiau hyn sy'n ymestyn tua'r nefoedd; ac i mi, blentyn amser, mae cwsg yn felys yn wir. Daw bore Llun, ac fe'm caf fy hun wedi fy mychanu o hyd gan yr un gadwyn o fynyddoedd. Rwyf wedi gadael talaith Colorado ac rwyf bellach yn nhalaith Utah, ac yn agosáu at Ddinas y Llyn Heli, wedi teithio o fewn y mynyddoedd rhyfeddol hyn am 716 milltir. Am 2 y prynhawn cyrhaeddaf ben y daith.

Mae dirprwyaeth yn fy nghroesawu, ac yn mynd â mi i'm gwesty (y 'Kenyon') lle y cadwyd swît o dair ystafell ar fy nghyfer. Yn wir, mae'r ddinas hon[155] a'i phobl yn un nefoedd o garedigrwydd! Fe'm gyrrir o gwmpas y ddinas dra hyfryd hon, a dyfodd i 80,000 mewn deugain a dwy o flynyddoedd; mae'n gorwedd o fewn basn enfawr yng nghanol y Mynyddoedd Creigiog; hinsawdd berffaith, strydoedd, parciau, adeiladau, eglwysi ac ati − rhyfeddol yn y byd bach newydd hwn ar wahân! Mae fy nghyfeillion Mormon − a gamdriniwyd ac a gam-ddisgrifiwyd − yn enwog am eu lletygarwch a'u haelioni. Ymwelaf â'u cartrefi bob dydd, a theimlaf y gallwn fod mewn unrhyw gartref arall yn Ewrop neu America. Gall 10,000 o bobl eistedd yn eu Tabernacl gwych, gyda lle i 600 yn y côr, acwsteg syfrdanol − a hynny heb yr un piler na hoelen. Saif yr adeilad ar safle prydferth. Mae'r Deml hithau yn arbennig am ei phrydferthwch oddi mewn ac oddi allan. Af yng nghwmni ffrindiau lu ar drên arbennig i'w Llyn Heli, tua 13 milltir i ffwrdd: 20 milltir o led a 120 o hyd, gyda dŵr sydd saith gwaith yn fwy hallt na dŵr y môr. Ymdrochaf − heb suddo; y dŵr yn glir fel grisial. Gall 3,000 ymdrochi ar yr un pryd, a gall 5,000 o barau ddawnsio yn eu Pafiliwn hardd. Fe'm gwahoddir i Ogden, 37 milltir i ffwrdd, lle y cynhyrchir y trydan ar gyfer pŵer a golau Dinas y Llyn Heli. Fe'm croesewir gan y Maer a'i Gorfforaeth, un ohonynt yn Joseph Parry arall. Mae'r côr, o dan ei arweinydd ifanc a thalentog, Mr Coup, yn mynd â mi ar bicnic i'w ceunant enwog tuag wyth milltir i ffwrdd − cawn bryd hyfryd yno, a threulio diwrnod sy'n aros o fewn tudalennau dyddiadur y cof. Cynhelir yr Eisteddfod yn ystod wythnos gyntaf mis Hydref, yn ystod eu Cynhadledd, gyda rhwng deng mil a phymtheng mil yn bresennol. Ceir cyfarfodydd Eisteddfod ardderchog, cystadla chwe chôr gyda fy 'Ar Don'[156] − canu da, fel

---

[155] h.y. Dinas y Llyn Heli (Salt Lake City), Utah.
[156] Nid yw'n eglur pa osodiad a olygir (cymh. uchod, nodiadau 59, 60).

Merthyr, who knew my father and mother, sisters, brother and myself when I was a little boy. Welsh spoken in the streets as if in Merthyr or Aberdare. (My photos – very good – are all over the City, and for once in my life, the little hero of the city). A fine banquet in my honour. My dear and old friends Hon. Judge Edwards[158] and his genial wife have now arrived; he is the Eisteddfod Conductor[159] (and all well know what a Conductor he is). Time! Who art ever ocean-like in thy restlessness, brings this memorable visit to a close. And my dear friends, I must again leave you, as I have thus in memory once more enjoyed my visit to you, all your warm hearts I have felt, and your genial faces seen once more. Shall I ever visit your city again? It is one of <u>my</u> many wishes, that I shall. On the Sunday morning at 8 o'clock, I am in the train – many friends seeing me off; I travel Sunday and night, Monday and night, Tuesday and night, Wednesday and night, Thursday also till 3pm in New York to catch my boat '<u>Campagnia</u>' for home (my twelfth voyage). Am home again after the trip of my life, having travelled <u>14,000 miles</u>. *[for this year's writings, see list]*

1899 finds me with a Quartette Party[160] on my thirteenth voyage, in the 'Lucania', to give a tour in America of gems from my Operas[161] and Concerts – was absent over two months (my fourteenth voyage, in the 'Lucania'), so much space has been taken for my last year,[162] that this year's record must consequently be omitted. *[see composition list]*

1900. My fourth National Eisteddfod Commission, '<u>Ceridwen</u>', at Liverpool.[163] Have, at the twelfth hour, to conduct my work, but no

---

[158] Thomas 'Cynonfardd' Edwards (1848–1927), minister, judge and poet.

[159] An eisteddfod 'conductor' comperes the proceedings from the stage.

[160] The quartet comprised Ashworth Hughes, Hannah Jones, Maldwyn Humphries and Meurig James. Hannah Jones was the wife of Mendelssohn Parry (who was also on the tour as accompanist and organizer); they married in March 1893. Humphries and James were former students of Joseph Parry.

[161] The tour lasted from August to October 1899, and over 25 concerts were given in the northeastern states. The operas were *Blodwen* (above, note 113), *Arianwen* (c.1888, libretto by 'Dewi Môn'), and *Sylvia* (1891–5, libretto by Mendelssohn Parry).

[162] Details of Parry's American visit of 1898 occupy ten pages of the manuscript.

[163] *Ceridwen*, a cantata or one-act opera, libretto by 'Dyfed' (Evan Rees, 1850-1923). The Liverpool National Eisteddfod was held from 18 to 22 September 1900, and the performance took place on 20 September.

wythnos Gymreig yn y Mynyddoedd Creigiog. Yn y Tabernacl o flaen cynulleidfa fawr, traddodaf fy narlith ar y meistri: Mozart, Schubert, Beethoven, Schumann a Chopin, fel y gwneuthum mewn sawl dinas arall[157] ar fy nhaith tua'r gorllewin. Fe'm hanrhydeddir hefyd â pherfformiad arbennig o opera yn eu tŷ opera hardd a godwyd tua deng mlynedd ar hugain yn ôl. Mormoniaid yw'r cwmni cyfan – yn gorws, prif gymeriadau a cherddorfa – a gwnaeth y perfformiad, y llwyfannu, yr actio a'r set, imi deimlo fel petawn yn Llundain. Cyfarfyddaf â dau bâr mewn oed o hen gapel Bethesda, Merthyr a gofiai fy rhieni, fy chwiorydd, fy mrawd a minnau pan oeddwn yn blentyn. Clywir Cymraeg ar y strydoedd fel ym Merthyr neu Aberdâr. (Mae lluniau ohonof – rhai da iawn – dros y ddinas i gyd, ac am unwaith yn fy mywyd, fi yw arwr bach y lle). Cynhelir gwledd i'm hanrhydeddu. Cyrhaedda fy hen gyfaill annwyl, yr Anrhydeddus Farnwr Edwards[158] a'i wraig hawddgar – ef yw Arweinydd[159] yr Eisteddfod (a gŵyr pawb yn dda gystal Arweinydd ydyw). Amser! Rwyt mor aflonydd â'r môr, gan ddod â'r ymweliad cofiadwy hwn i ben. A chwithau, fy nghyfeillion annwyl, rhaid imi eich gadael eto, fel y bo gennyf yn fy nghof unwaith eto fod wedi mwynhau fy ymweliad â chwi, gan deimlo gwres eich calonnau a gweld eich wynebau hawddgar unwaith yn rhagor. A fydd i mi ddychwelyd i'ch dinas? Dyna un o'm dymuniadau innau, y caf. Ar fore Sul am 8 rwyf yn ôl yn y trên – llawer o'm ffrindiau yn canu'n iach imi; teithiaf ddydd a nos Sul, Llun, Mawrth, a Mercher, a dydd Iau tan 3 y prynhawn yn Efrog Newydd i ddal fy llong, y 'Campagnia' am adref (fy neuddegfed fordaith). Rwyf gartref unwaith eto ar ôl taith orau fy mywyd, wedi mynd 14,000 o filltiroedd [*am greadigaethau eleni, gweler y rhestr*].

Gwêl **1899** fi gyda pharti pedwar llais[160] ar fy nhrydedd fordaith ar ddeg, ar y 'Lucania', ar daith o gyngherddau yn America o oreuon o'm

---

[157] Nid yw Parry'n esbonio pa ddinasoedd a olygir.

[158] Thomas 'Cynonfardd' Edwards (1848–1927), gweinidog, barnwr a bardd.

[159] Arweinydd llwyfan a olygir, nid arweinydd cerddorol.

[160] Aelodau'r pedwarawd oedd Ashworth Hughes, Hannah Jones, Maldwyn Humphries a Meurig James. Hannah Jones oedd gwraig Mendelssohn Parry (a oedd hefyd ar y daith yn gyfeilydd a threfnydd); priodasant ym mis Mawrth 1893. Buasai Humphries a James yn fyfyrwyr i Joseph Parry.

rehearsal with choir, nor with choir and orchestra, and but one rehearsal with orchestra, and artists.[164] As "silence is golden", the cause had better be left unrecorded. Yet, so great was the attraction that 3,000 people failed to gain admittance and the result was another success. A 'Morning Star' appears in the horizon, the formation of the Penarth Committee of fine genuine friends; their aim and mission being the publication, performances and furtherance of my works. Mr Joseph Bennett[165] is commissioned by the Penarth Committee to write me the libretto for an opera on 'The Maid of Cefn Ydfa',[166] with the hope perhaps of its completion, publication and performance at the end of this year.[167] Meetings are being held at various centres by the South Wales choral conductors, with the view of co-operating with the Penarth Committee and to make preparations for its performance by some twenty south Wales choirs. But all are sadly disappointed by the delay of the librettist; the year and century die before the birth of even a single line of the libretto.

1901. Now is born a new century, and as some of its children come new hopes, new aspirations, and new resolves for a nobler, higher life. What of the noble and generous aims of the Penarth Committee? And of Mr Bennett? March brings his first installment. Easter brings him down here to Penarth, to Cefn Ydfa[168] and to Coity Castle.[169] New hopes, more of the Committee, myself also, penetrate into the choir circles, and the close of this year surely will bring us the close, publication and performance of this much longed for opera. Alas! Poor unreliable humanity again betrays itself, for Committee, Composer and Choirs are at the close of a second year doomed to disappointment. For but the first act is completed by May, and to the middle only of the second act by the end of the year. So the delay drags all our aims and efforts into the third year. This delay is filled up with the

---

[164] The soloists were Maggie Davies, Juanita Jones, Ben Davies, Emlyn Davies and Ffrangcon Davies.

[165] Joseph Bennett (1831–1911), music critic of London's *Daily Telegraph*, who had taken an interest in Welsh music since visiting the National Eisteddfod held at Carmarthen in 1867.

[166] A Welsh romantic folk-tale of frustrated love.

[167] i.e. 1900.

[168] Cefn Ydfa is near Llangynwyd in the Vale of Glamorgan.

[169] North of Bridgend, Glamorgan.

hoperâu[161] – roeddwn i ffwrdd am fwy na deufis (fy mhedwaredd fordaith ar ddeg, ar y 'Lucania'); llanwyd cymaint o ofod â hanes y llynedd,[162] fel y bydd rhaid hepgor cofnod eleni [*gweler y rhestr o gyfansoddiadau*].

1900. Fy mhedwerydd comisiwn ar gyfer yr Eisteddfod Genedlaethol, *Ceridwen*, yn Lerpwl.[163] Ar y funud olaf, rhaid imi arwain fy ngwaith, heb un ymarfer gyda'r côr, na chyda'r côr a'r gerddorfa, ac un ymarfer yn unig gyda'r gerddorfa a'r unawdwyr.[164] 'Taw piau hi' – felly gwell fyddai peidio â chofnodi'r rheswm. Eto, mor fawr oedd yr atyniad, fel y methodd 3,000 o bobl gael mynediad, a'r canlyniad oedd llwyddiant arall. Ymddengys 'Seren Fore' ar y gorwel, wrth i gyfeillion da a diffuant ffurfio Pwyllgor Penarth; eu nod a'u bwriad yw cyhoeddi, perfformio a hyrwyddo fy ngwaith. Mae Pwyllgor Penarth yn comisiynu Mr Joseph Bennett[165] i ysgrifennu libreto opera imi ar 'Y Ferch o Gefn Ydfa',[166] gyda'r gobaith efallai o'i chwblhau, ei chyhoeddi a'i pherfformio ar ddiwedd y flwyddyn hon.[167] Mae arweinyddion corawl De Cymru yn cynnal cyfarfodydd mewn gwahanol ganolfannau, er mwyn cydweithio â Phwyllgor Penarth ac i baratoi ar gyfer ei pherfformio gan ryw ugain o gorau De Cymru. Ond siomir pawb yn fawr gan yr oedi ar ran y libretydd; daw'r flwyddyn a'r ganrif i ben heb weld yr un llinell o'r libreto.

1901. Genir canrif newydd ac fel rhai o'i phlant daw gobeithion, dyheadau a phenderfyniadau newydd am fywyd uwch a gwell. Beth am amcanion anrhydeddus a hael Pwyllgor Penarth? A beth am Mr Bennett?

---

[161] Parhaodd y daith o fis Awst hyd fis Hydref 1899, a rhoddwyd dros 25 o gyngherddau yn nhaleithiau'r gogledd-ddwyrain. Yr operâu oedd *Blodwen* (uchod, nodyn 113); *Arianwen* (*c.* 1888, libreto gan 'Dewi Môn'), a *Sylvia* (1891–5, libreto gan Mendelssohn Parry).

[162] Mae manylion ymweliad Parry ag America yn 1898 yn llanw deg tudalen o'r llawysgrif.

[163] *Ceridwen*, cantawd neu opera un-act, libreto gan 'Dyfed' (Evan Rees, 1850–1923). Cynhaliwyd Eisteddfod Genedlaethol Lerpwl o 18 hyd 22 Medi 1900, a bu'r perfformiad ar 20 Medi.

[164] Yr unawdwyr oedd Maggie Davies, Juanita Jones, Ben Davies, Emlyn Davies a Ffrangcon Davies.

[165] Joseph Bennett (1831–1911), beirniad cerdd y *Daily Telegraph* yn Llundain, a ymddiddorai yng ngherddoriaeth Cymru ers iddo ymweld â'r Eisteddfod Genedlaethol yng Nghaerfyrddin yn 1867.

[166] Y chwedl ramantus a gysylltir ag enw'r bardd o Forgannwg, Wil Hopcyn.

[167] h.y. 1900.

completion of my seventh opera 'His Worship the Mayor'[170] and the completion of my eighth opera 'The Maid of Scer'.[171] Delay degenerates enthusiasm and gives birth to the evil one of coolness, indifference and inactivity!

Yule-tide comes again, and finds me at Pontypridd conducting Christmas and Boxing Days my two works 'Nebuchadnezzar' and 'Ceridwen' in character, and but fairly satisfactory as is alas too generally the case with my works. They attract three large audiences, and again take well. This is to me my 61st Christmas day. Thus, oh thou Train of Time, thy moments, hours, days, weeks, months and years are but as thy chariots; and we mortals are thy passengers. And thou hast thy years as thy stations or terminuses to decide and denote one little journey of life, and then ere long wilt carry us to thy last station to us called the grave. Imagination! thou mirror of the past and prophet of the future, thou hast thus mirrored upon the canvas of my mind, all the past scenes of my life, though long since buried in the grave of forgetfulness, then thou hast brought as by magic all back to me as unto a living present, and as unto a second life. Alas! Here are my last words which are to my eyes, ears and heart as a Requiem, for they denote the dying hours of my 61st year! For tomorrow, being my Birthday,[172] I start another chapter in life's volume! My past life, and labours contain much to feel grateful for. My opera 'The Maid of Cefn Ydfa' – hurrah! – is completed! Mr Bennett has presented me with his beautiful libretto as his token of good wishes towards me and the Committee as a proof of their fidelity to their aims, have arranged, through Mr Bennett, with Mr Manners to produce my opera, here in Cardiff in December next by the Moody Manners Opera Co.[173] The fact that this makes my ninth opera – in all twenty six works – together with my Hymn Tune Book, many songs, part songs, male choruses, glees, anthems,

---

[170] *His Worship the Mayor*, an opera composed in 1899–1900, the libretto by Arthur Mee (1875–1943) who wrote for the *Western Mail* under the name 'Idris'.

[171] *The Maid of Scer*, opera composed in 1900–1, the libretto by an unknown writer.

[172] i.e. 21 May 1902.

[173] Formed in 1897 by the singer Charles Manners (1857–1935) and his wife Fanny Moody (c1886–1945), the company disbanded in the 1910s. The performance took place on 15 December 1902.

Daw mis Mawrth â'i gyfran gyntaf. Daw'r Pasg ag ef ei hun yma i Benarth, i Gefn Ydfa[168] ac i Gastell Coety.[169] Treiddia gobaith newydd mwy o'r Pwyllgor, ond gennyf innau hefyd, i rengoedd y côr, a daw diwedd y flwyddyn, bid siŵr, â diweddglo, cyhoeddi a pherfformio'r opera hirddisgwyliedig hon. Och! Bradycha dynoliaeth druenus ac annibynadwy ei hun unwaith eto, a siom yw tynged y Pwyllgor, y cyfansoddwr a'r corau ar ddiwedd ail flwyddyn. Dim ond yr act gyntaf sydd wedi ei chwblhau erbyn Mai, a hyd at ganol yr ail act erbyn diwedd y flwyddyn. Felly mae'r oedi'n llusgo ein holl amcanion a'n hymdrechion i mewn i'r drydedd flwyddyn. Llenwir yr oedi â chwblhau fy seithfed opera, *His Worship the Mayor*[170] a'm hwythfed, *The Maid of Scer*.[171] Mae oedi yn gwanhau brwdfrydedd, gan esgor ar ddrygioni claerineb, difaterwch a segurdod!

Dyma'r Nadolig unwaith eto, ac rwyf ym Mhontypridd yn arwain fy nau waith *Nebuchadnezzar* a *Ceridwen* mewn gwisgoedd ar Ddydd Nadolig a Gŵyl San Steffan; ond gweddol yn unig ydynt, ysywaeth, fel a geir yn rhy aml gyda'm gweithiau. Maent yn denu tair cynulleidfa fawr, ac yn ennyn ymateb da eto. Dyma fy unfed dydd Nadolig a thrigain. Felly, dithau Drên Amser, mae dy eiliadau, dy oriau, dy ddyddiau, dy wythnosau, dy fisoedd a'th flynyddoedd megis dy gerbydau, a ninnau feidrolion yw dy deithwyr. Ac mae gennyt dy flynyddoedd yn orsafoedd neu derfynfeydd sy'n penderfynu a dynodi un daith fach bywyd, ac yna cyn hir byddi'n ein cludo i'th orsaf olaf, y galwn hi'n fedd. Dychymyg! ti ddrych y gorffennol a phroffwyd y dyfodol, rwyt wedi adlewyrchu ar gynfas fy meddwl holl olygfeydd gorffennol fy mywyd, er eu bod wedi eu hen gladdu ym medd anghofrwydd, yna rwyt wedi dwyn y cyfan yn ôl imi ar amrantiad, fel pe i bresennol byw, ac i ail fywyd. Och! Dyma fy ngeiriau olaf, sydd i'm llygaid, fy nghlustiau a'm calon fel Requiem, gan eu bod yn dynodi oriau olaf fy unfed flwydd a thrigain! Oherwydd yfory – fy mhen blwydd[172] – dechreuaf ar bennod arall yng nghyfrol bywyd! Mae fy mywyd a'i lafur yn cynnwys

---

[168] Yn ymyl Llangynwyd ym Mro Morgannwg.

[169] Lleolir Castell Coety i'r gogledd o Ben-y-bont ar Ogwr, Morgannwg.

[170] *His Worship the Mayor*, cyfansoddwyd yn 1899–1900, y libreto gan Arthur Mee (1875–1943), a ysgrifennai i'r *Western Mail* dan yr enw 'Idris'.

[171] *The Maid of Scer*, cyfansoddwyd yn 1900–1, y libreto gan awdur anhysbys.

[172] h.y. 21 Mai 1902.

instrumental music much console me that my little life has been devoted to the promotion of the music and musicians of this, my much beloved native country.

May 20, 1902
Joseph Parry

cymaint sy'n destun diolch. Mae fy opera *The Maid of Cefn Ydfa* – hwre! – wedi'i chwblhau! Cyflwynodd Mr Bennett ei libreto odidog i mi yn arwydd o'i ewyllys da, ac mae'r Pwyllgor, fel prawf o'u ffyddlondeb i'w hamcanion, wedi trefnu, trwy Mr Bennett, i Mr Manners gynhyrchu fy opera yma yng Nghaerdydd fis Rhagfyr nesaf gyda'r 'Moody Manners Opera Company'.[173] Mae'r ffaith fod y gwaith hwn – fy nawfed opera – chwech ar hugain o weithiau i gyd – ynghyd â'm Llyfr Emyn Donau, llawer o ganeuon, rhanganau, cytganau i feibion, canigau, anthemau a cherddoriaeth offerynnol yn gysur i mi fod fy mywyd bach wedi'i gyflwyno er hyrwyddo cerddoriaeth a cherddorion hon, anwylaf wlad fy ngenedigaeth.

Mai 20, 1902
Joseph Parry

---

[173] Ffurfiwyd y cwmni hwn yn 1897 gan y canwr Charles Manners (1857–1935) a'i wraig Fanny Moody (*c*1886–1945), ac fe'i dirwynwyd i ben yn yr 1910au. Bu'r perfformiad ar 15 Rhagfyr 1902.

January 1903

I hail thee, as still another year – I am able to record the greatest success of my life labours, namely five performances of my opera 'The Maid of Cefn Ydfa' by the Moody Manners Grand Opera Company: 110 full orchestra, chorus and Principals at the Grand Theatre, Cardiff.[174] Production night December the 15, 1902. My musical friends and fellow countrymen from all parts of South Wales was [*sic*] to their honour such that the Theatre was filled at each performance, and my work, also the company, being received with genuine success and enthusiasm – see all press reports. Mr Bennett[175] himself being present at the Saturday performances. And better still, my Committee's aims being attained to the full, namely that terms have been made between them and Mr Manners to include my opera in his repertoire by his Company A throughout England; also his Companies B and C throughout Wales. And furthermore, Mr Bennett has most generously promised to write for me another Libretto for a grand opera.[176] Thus, thou 1903 openest thy windows dawning forth thy radiant light of hope for yet another opportunity for my efforts. What thy year has in store for me, my family and friends, thou wilt unfold only as thy months roll on one by one. Hope – the soul's bliss – shall be ours.[177]

---

[174] Parry evidently rates this success more highly than that which attended *Blodwen*. The Grand Theatre was in Westgate Street, Cardiff.

[175] Above, note 165.

[176] This would have been Parry's tenth opera.

[177] Parry died on 17 February 1903 of septicaemia following an operation.

Ionawr 1903

Cyfarchaf di, flwyddyn arall eto, a gallaf gofnodi llwyddiant mwyaf[174] llafur fy oes, sef pum perfformiad o'm hopera *The Maid of Cefn Ydfa* gan y 'Moody Manners Grand Opera Company' o 110: cerddorfa lawn, corws ac unawdwyr yn y Grand Theatre yng Nghaerdydd. Noson y cynhyrchiad oedd Rhagfyr 15, 1902. Er clod i'm cyfeillion cerddorol a'm cydwladwyr o Dde Cymru roedd y theatr dan ei sang ar gyfer pob perfformiad, a derbyniwyd fy ngwaith a'r cwmni gyda llwyddiant gwirioneddol a brwdfrydedd – gweler holl adroddiadau'r wasg. Roedd Mr Bennett[175] ei hun yn bresennol ym mherfformiadau'r Sadwrn. A gwell fyth, cyflawnwyd bwriadau fy Mhwyllgor yn llawn gan fod cytundeb wedi'i daro rhyngddynt a Mr Manners i gynnwys fy opera yn *repertoire* ei 'Gwmni A' ar hyd a lled Lloegr, a hefyd ei 'Gwmnïau B a C' ar hyd a lled Cymru. Ymhellach, mae Mr Bennett yn ei haelioni wedi addo ysgrifennu libreto arall imi, ar gyfer opera fawreddog.[176] Felly rwyt ti, 1903 yn agor dy ffenestri a gwawria golau llachar gobaith am gyfle eto i'm hymdrechion. Beth sydd gan dy flwyddyn ynghadw i mi, fy nheulu a'm cyfeillion, byddi'n ei ddatgelu dim ond wrth i'th fisoedd fynd heibio o un i un. Bydd gobaith – gwynfyd yr enaid – yn eiddo inni.[177]

---

[174] Mae'n amlwg fod Parry'n gosod y llwyddiant hwn yn uwch na llwyddiant *Blodwen*. Roedd y 'Grand Theatre' yn Westgate Street, Caerdydd.

[175] Uchod, nodyn 165.

[176] Hon fyddai degfed opera Parry.

[177] Bu farw Parry ar 17 Chwefror 1903 o wenwyn gwaed yn dilyn llawdriniaeth.

PART [THE] SECOND

People whom I have seen, heard and met. An old German opera conductor in Brooklyn, N.Y., who brought over to America the first German opera company, who had shaken hands with Beethoven, introduced by Kreutzer[178]. I felt a thrill as I shook his hand which had been in my hero's hand. Also a second hand of Dr Ferdinand Hiller.[179] Sir John Goss[180] (who made me blush with his compliments upon my works), Sir Arthur Sullivan,[181] Sir Joseph Barnby,[182] Sir W. G. Cusins,[183] Davidson (the great critic),[184] Dr Hullah,[185] Dr Steggall[186] (my organ master for three years), Signor Manuel Garcia[187] (my vocal master for three years), Principal Sir William Sterndale Bennett[188] (my composition master for three years) of whom I received my Mus. Bac. at Cambridge in 1871 [and] the great friend of Mendelssohn, Schumann etc., Sir G. W. Macfarren,[189] of whom I received my Mus. Doc. (and alas the last) degree in 1878. The great art reformer Richard Wagner,[190] the renowned

---

[178] Rodolphe Kreutzer (1766–1831), the French violinist to whom Beethoven dedicated his 'Kreutzer' Sonata. Unfortunately Parry does not name the old man whom Kreutzer introduced to Beethoven and whom he (Parry) subsequently met.

[179] Ferdinand Hiller (1811–85), German pianist, composer and conductor. Presumably Parry means that he met someone who had met Hiller.

[180] John Goss (1800–80), organist of St. Paul's Cathedral and composer to the Chapel Royal.

[181] Arthur Sullivan (1842–1900), an English Victorian composer, best known for the comic operas which he wrote with W. S. Gilbert (1836–1911).

[182] Joseph Barnby (1838–96), organist, conductor of the Royal Choral Society 1872–96 and Principal of the Guildhall School of Music 1892–6.

[183] Above, note 95.

[184] James William Davison (not 'Davidson') (1813–85), editor of *The Musical World* from 1843 to 1885 and music critic of *The Times* from 1846 to 1879.

[185] John Pyke Hullah (1812–84), who pioneered a method of teaching singing using the fixed *doh* and secured the adoption of music as part of the school curriculum.

[186] Above, note 84.

[187] Above, note 85.

[188] Above, note 83.

[189] George Alexander (not 'G. W.') Macfarren (1813–87), composer and teacher at the Royal Academy of Music, where he succeeded William Sterndale Bennett as Principal in 1875. Like Bennett, he also held the Chair of Music at Cambridge.

[190] Richard Wagner (1813–83), German composer and one of the greatest composers of his age.

YR AIL RAN

Pobl a welais, a glywais ac y cyfarfûm â hwy. Yn Brooklyn, Efrog Newydd, arweinydd opera mewn oed o'r Almaen a ddaeth â'r cwmni opera cyntaf o'r wlad honno i America. Roedd wedi ysgwyd llaw â Beethoven ar ôl cael ei gyflwyno iddo gan Kreutzer,[178] a theimlais wefr wrth imi ysgwyd y llaw a fuasai yn llaw fy arwr. Hefyd, ail law Dr Ferdinand Hiller,[179] Syr John Goss[180] (a wnaeth i mi wrido wrth iddo ganmol fy ngwaith), Syr Arthur Sullivan,[181] Syr Joseph Barnby,[182] Syr W. G. Cusins,[183] Davidson (y beirniad enwog),[184] Dr Hullah,[185] Dr Steggall[186] (fy athro organ am dair blynedd), Signor Manuel Garcia[187] (fy athro canu am dair blynedd), a'r Prifathro Syr William Sterndale Bennett[188] (fy athro cyfansoddi am dair blynedd), gan yr hwn y derbyniais fy Mus. Bac. o Gaergrawnt yn 1871, ac a oedd yn gyfaill agos i Mendelssohn, Schumann ac ati, Syr G. W. Macfarren,[189] gan yr hwn y derbyniais fy Mus.

---

[178] Rodolphe Kreutzer (1766–1831), y fiolinydd o Ffrainc y cyflwynodd Beethoven ei sonata 'Kreutzer' iddo. Gwaetha'r modd nid yw Parry'n enwi'r hen ddyn y cyflwynodd Kreutzer Beethoven iddo ac y cyfarfu ef (Parry) ag ef yn ddiweddarach.

[179] Ferdinand Hiller (1811–85), pianydd, cyfansoddwr ac arweinydd o'r Almaen. Mae'n debyg mai'r hyn a olyga Parry yw iddo gyfarfod â rhywun a oedd wedi cyfarfod â Hiller.

[180] John Goss (1800–80), organydd Eglwys Gadeiriol Sant Paul a chyfansoddwr i'r Capel Brenhinol.

[181] Arthur Sullivan (1842–1900), cyfansoddwr o Loegr oes Victoria, a ddaeth yn fwyaf adnabyddus yn rhinwedd yr operâu ysgafn a gyfansoddodd gyda W. S. Gilbert (1836–1911).

[182] Joseph Barnby (1838–96), organydd, arweinydd y Gymdeithas Gorawl Frenhinol 1872–96 a Phrifathro Ysgol Gerdd y Guildhall 1892–6.

[183] Uchod, nodyn 95.

[184] James William Davison (nid 'Davidson') (1813–85), golygydd *The Musical World* o 1843 hyd 1885 a beirniad cerdd *The Times* o 1846 hyd 1879.

[185] John Pyke Hullah (1812–84), a arloesodd ddull o ddysgu canu trwy ddefnyddio *doh* sefydlog ac a sicrhaodd fabwysiadu cerddoriaeth yn rhan o faes llafur ysgolion.

[186] Uchod, nodyn 84.

[187] Uchod, nodyn 85.

[188] Uchod, nodyn 83.

[189] George Alexander (nid 'G.W.') Macfarren (1813–87), cyfansoddwr ac athro yn yr Academi Gerdd Frenhinol, lle'r olynodd William Sterndale Bennett yn Brifathro yn 1875. Fel Bennett, daliodd hefyd Gadair mewn Cerddoriaeth yng Nghaergrawnt.

Abbe Franz Liszt,[191] Gade,[192] Reinecke,[193] Dvorak,[194] Grieg,[195] Santley[196] (my model vocalist), Sims Reeves[197] (a whole evening's conversation with him upon the best composer of Recitatives, he placed Handel as far the best, also upon the respective merits of Handel and Bach). Theodore Thomas[198] (America's great Charles Halle), Sir Charles Halle,[199] Richter,[200] Reinecke,[201] Hiller,[202] Potter;[203] Madames Jenny Lind,[204] Viardo Garcia,[205] Dolby,[206]

---

[191] Franz Liszt (1811–86), Hungarian pianist and composer. It is unlikely that Parry actually met Liszt and Wagner, as he surely would have made more of the fact.

[192] Niels Wilhelm Gade (1817–90), Danish composer.

[193] Carl Reinecke (1824–1910), German musician and composer.

[194] Antonin Dvořák (1841–1904), Czech composer.

[195] Edvard Grieg (1843–1907), Norwegian composer.

[196] Charles Santley (1843–1922), English operatic baritone who later specialised in concert and oratorio.

[197] Sims Reeves (1818–1900), the most popular English tenor of his generation from his debut in 1847 until his retirement in 1896.

[198] Theodore Thomas (1835–1905), conductor of the New York Philharmonic, the Chicago Symphony, and other American orchestras.

[199] Charles Hallé (1819–95), German conductor who settled in Manchester in 1848 and founded the Hallé Orchestra there in 1857.

[200] Probably Hans Richter (1843–1916), Austrian conductor and associate of Wagner, who from 1879 gave an annual series of Richter concerts in London.

[201] Above, note 193.

[202] Above, note 179.

[203] Cipriani Potter (1792–1871), London pianist and conductor of the Madrigal Society, 1855–70.

[204] Jenny Lind (1820–87), soprano known as 'The Swedish nightingale'.

[205] Pauline Viardot-Garcia (1821–1910), soprano and sister of Parry's singing teacher Manuel Garcia.

[206] Charlotte Sainton-Dolby (1821–85), contralto, one of the earliest singers of 'ballad concerts'.

Doc. (a'm gradd olaf, gwaetha'r modd) yn 1878. Y diwygiwr celf mawr Richard Wagner,[190] yr enwog Abbe Franz Liszt,[191] Gade,[192] Reinecke,[193] Dvorak,[194] Grieg,[195] Santley[196] (fy nelfryd o ganwr), Sims Reeves[197] (treuliasom noson gyfan yn trafod cyfansoddwyr gorau adroddganau – Handel o bell ffordd yn ei farn ef, trafodasom hefyd ragoriaethau cymharol Handel a Bach), Theodore Thomas[198] (cyfwerth America i'r enwog Charles Halle), Syr Charles Halle,[199] Richter,[200] Reinecke,[201] Hiller,[202] Potter;[203] Madames Jenny Lind,[204]

---

[190] Richard Wagner (1813–83), cyfansoddwr o'r Almaen ac un o gyfansoddwyr mwyaf ei oes.

[191] Franz Liszt (1811–86), pianydd a chyfansoddwr o Hwngari. Mae'n amheus a oedd Parry wedi cyfarfod â Liszt a Wagner mewn gwirionedd, oherwydd byddai wedi rhoi mwy o sylw i'r ffaith.

[192] Niels Wilhelm Gade (1817–90), cyfansoddwr o Ddenmarc.

[193] Carl Reinecke (1824–1910), cerddor a chyfansoddwr o'r Almaen.

[194] Antonin Dvořák (1841–1904), cyfansoddwr Tsiecaidd.

[195] Edvard Grieg (1843–1907), cyfansoddwr o Norwy.

[196] Charles Santley (1843–1922), bariton operataidd Seisnig a arbenigodd yn ddiweddarach ar waith cyngerdd ac oratorio.

[197] Sims Reeves (1818–1900), tenor Seisnig mwyaf poblogaidd ei genhedlaeth o'i ymddangosiad yn 1847 hyd ei ymddeoliad yn 1896.

[198] Theodore Thomas (1835–1905), arweinydd Cerddorfa Ffilharmonig Efrog Newydd, Cerddorfa Simffoni Chicago, a cherddorfeydd Americanaidd eraill.

[199] Charles Hallé (1819–95), arweinydd o'r Almaen a ymgartrefodd ym Manceinion yn 1848 ac a sefydlodd Gerddorfa Hallé yno yn 1857.

[200] Hans Richter (1843–1916) mae'n debyg: arweinydd o Awstria a chyfaill i Wagner a fu'n rhoi cyfres flynyddol o gyngherddau Richter yn Llundain o 1879 ymlaen.

[201] Uchod, nodyn 193.

[202] Uchod, nodyn 179.

[203] Cipriani Potter (1792–1871), pianydd yn Llundain ac arweinydd y Gymdeithas Fadrigal, 1855–70.

[204] Jenny Lind (1820–87), soprano a adweinid wrth yr enw 'Eos Sweden'.

Patey,[207] Nillson,[208] Patti,[209] Sterling,[210] Titiens,[211] Trebelli Betini,[212] Hauk,[213] Schumann,[214] Goddard,[215] Janotha,[216] Zimmerman,[217] Davies;[218] Signors Mario,[219] Manzini,[220] Faure,[221] Graziani,[222] Maurel,[223] Formes,[224] Bassini,[225] Garcia,[226] Verdi,[227] Liszt,[228] Paderewski,[229] Rosenthal,[230] Stavenhagen;[231]

---

[207] Janet Patey (1842–94), English contralto who performed at eisteddfodau in Wales.

[208] Christine Nillson (1843–1921), soprano.

[209] Adelina Patti (1843–1919), Italian operatic soprano who made her home at Craig-y-nos in the Swansea Valley, South Wales.

[210] Antoinette Sterling (1850–1904), American contralto (above, note 36).

[211] Thérèse Titiens (1831–77), soprano.

[212] Zélia Trebelli (1834/8–92), mezzo-soprano, who was married to the Italian tenor Alessandro Bettini.

[213] Minnie Hauk (1852–1929), soprano.

[214] Clara Schumann (1819–96), German pianist and wife of the composer Robert Schumann.

[215] Arabella Goddard (1836–1922), English pianist.

[216] Natalia Janotha (1856–1932), Polish pianist and pupil of Brahms and Clara Schumann.

[217] Agnes Zimmermann (1847–1925), English pianist who first appeared in public at the Crystal Palace in 1863.

[218] Fanny Davies (1861–1934), pianist born in Guernsey, a pupil of Clara Schumann.

[219] Giovanni Matteo Mario (1810–83), Italian operatic tenor who sang frequently in London.

[220] Eugenio Manzini, an Italian tenor.

[221] The French operatic baritone Jean-Baptiste Faure (1830–1914) rather than the composer Fauré.

[222] Two Italian brothers who were both celebrated singers – Lodovico Graziani (1820–85), tenor, and Francesco Graziani (1828–1901), baritone.

[223] Victor Maurel (1848–1923), baritone.

[224] Karl Formes (1810–90), bass.

[225] C. Bassini, Principal of the Geneseo Academy where Parry studied (above, note 37).

[226] Presumably Manuel Garcia, Parry's singing teacher (above, note 85).

[227] Giuseppe Verdi (1813–1901), the Italian opera composer. Again it may be doubted whether Parry actually met him.

[228] Above, note 191.

[229] Ignacy Jan Paderewski (1860–1941), Polish pianist and statesman.

[230] Moriz Rosenthal (1862–1946), Ukrainian pianist.

[231] Bernhard Stavenhagen (1862–1914), German pianist.

Viardo Garcia,[205] Dolby,[206] Patey,[207] Nillson,[208] Patti,[209] Sterling,[210] Titiens,[211] Trebelli Betini,[212] Hauk,[213] Schumann,[214] Goddard,[215] Janotha,[216] Zimmerman,[217] Davies;[218] Signors Mario,[219] Manzini,[220] Faure,[221] Graziani,[222] Maurel,[223] Formes,[224] Bassini,[225] Garcia,[226] Verdi,[227] Liszt,[228] Paderewski,[229]

---

[205] Pauline Viardot-Garcia (1821–1910), soprano a chwaer i Manuel Garcia, athro canu Parry.

[206] Charlotte Sainton-Dolby (1821–85), contralto, un o'r cyntaf i berfformio 'cyngherddau baled'.

[207] Janet Patey (1842–94), contralto Seisnig a berfformiodd mewn eisteddfodau yng Nghymru.

[208] Christine Nillson (1843–1921), soprano.

[209] Adelina Patti (1843–1919), soprano operataidd o'r Eidal a wnaeth ei chartref yng Nghraig-y-nos, Cwm Tawe yn Ne Cymru.

[210] Antoinette Sterling (1850–1904), contralto Americanaidd (uchod, nodyn 36).

[211] Thérèse Titiens (1831–77), soprano.

[212] Zélia Trebelli (1834/8–92), mezzo-soprano a oedd yn briod â'r tenor Eidalaidd Alessandro Bettini.

[213] Minnie Hauk (1852–1929), soprano.

[214] Clara Schumann (1819–96), pianydd o'r Almaen a gwraig y cyfansoddwr Robert Schumann.

[215] Arabella Goddard (1836–1922), pianydd Seisnig.

[216] Natalia Janotha (1856–1932), pianydd o Wlad Pwyl a disgybl i Brahms a Clara Schumann.

[217] Agnes Zimmermann (1847–1925), pianydd Seisnig a ymddangosodd yn gyhoeddus am y tro cyntaf yn y Palas Grisial yn 1863.

[218] Fanny Davies (1861–1934), pianydd a anwyd yn Guernsey, disgybl i Clara Schumann.

[219] Giovanni Matteo Mario (1810–83), tenor operataidd o'r Eidal a ganodd lawer yn Llundain.

[220] Eugenio Manzini, tenor o'r Eidal.

[221] Y bariton operataidd o Ffrainc Jean-Baptiste Faure (1830–1914) yn hytrach na'r cyfansoddwr Fauré.

[222] Roedd dau frawd o'r Eidal yn gantorion adnabyddus – Lodovico Graziani (1820–85), tenor, a Francesco Graziani (1828–1901), bariton.

[223] Victor Maurel (1848–1923), bariton.

[224] Karl Formes (1810–90), bas.

[225] C. Bassini, Prifathro Academi Geneseo lle'r astudiodd Parry (uchod, nodyn 37).

[226] Manuel Garcia, athro canu Parry (uchod, nodyn 85).

[227] Giuseppe Verdi (1813–1901), y cyfansoddwr opera o'r Eidal. Gellir amau a gyfarfu Parry ag ef.

[228] Uchod, nodyn 191.

[229] Ignacy Jan Paderewski (1860–1941), pianydd a gwladweinydd o Wlad Pwyl.

Carrodus,[232] Sainton,[233] Sivori,[234] Hollmann,[235] Botessini.[236]

Operas that I have heard (some dozens of times): Fidelio[237] (the first opera I ever heard in Philadelphia 1863), Faust, Mireille, Romeo and Juliette,[238] Robert, L'Africaine, Les Hugenotts, L'etoil de Nord, Dinorah, La Parphete,[239] Nozze de Figaro, Magic Flute (Masonic), Don Giovanni,[240] Rigoletto, Ernani, Trovatore, Aida,[241] Sonambulla,[242] Semiramide,[243] Martha,[244] Bohemian Girl,[245] Maritana,[246] Carmen,[247] Traviata,[248] Linda di Shamouni,[249] Un Ballo de Maschera,[250] Fra Diavolo,[251] Lily of Kilarni,[252] Lohengrin, Tannhauser, Rheingol, Siegfrid, Walkeree, Gotterdamerung,

[232] John Tiplady Carrodus (1836–95), the Yorkshire violinist known as 'the English Joachim'.

[233] Prosper Sainton (1813–90), French violinist.

[234] Camillo Sivori (1815–94), Italian violinist and composer.

[235] Joseph Hollman (1852–1927), cellist.

[236] Giovanni Bottesini (1821–89), Italian double bass virtuoso and conductor.

[237] *Fidelio* (1805) by Ludwig van Beethoven (1770–1827), Parry's hero.

[238] Three operas by Charles Gounod (1818–93): *Faust* (1859), *Mireille* (1864), *Roméo et Juliette* (1867).

[239] Six operas by Giacomo Meyerbeer (1791–1864): *Robert le Diable* (1831), *L'Africaine* (1865), *Les Huguenots* (1836), *L'Étoile du Nord* (1854), *Dinorah* (1859), *Le Prophète* (1849).

[240] Three operas by Wolfgang Amadeus Mozart (1756–91): *Le Nozze di Figaro* (1786), *Die Zauberflöte* (1791), *Don Giovanni* (1787).

[241] Four operas by Giuseppe Verdi (1813–1901): *Rigoletto* (1851), *Ernani* (1844), *Il Trovatore* (1853), *Aida* (1871).

[242] *La Sonnambula* (1831) by Vincenzo Bellini (1801–35).

[243] *Semiramide* (1823) by Gioachino Rossini (1792–1868).

[244] *Martha* (1847) by Friedrich Flotow (1812–83).

[245] *The Bohemian Girl* (1843) by M. W. Balfe (1808–70).

[246] *Maritana* (1845) by W. Vincent Wallace (1812–65).

[247] *Carmen* (1875) by Georges Bizet (1838–75).

[248] *La Traviata* (1853) by Verdi.

[249] *Linda di Chamounix* (1842) by Gaetano Donizetti (1797–1848).

[250] *Un Ballo in Maschera* (1859) by Verdi.

[251] *Fra Diavolo* (1830) by Daniel-François-Esprit Auber (1782–1871).

[252] *The Lily of Killarney* (1862) by Julius Benedict (1804–85).

Rosenthal,[230] Stavenhagen;[231] Carrodus,[232] Sainton,[233] Sivori,[234] Hollmann,[235] Botessini.[236]

Operâu a glywais (rhai ohonynt ddwsinau o weithiau): Fidelio[237] (yr opera gyntaf a glywais erioed, yn Philadelphia yn 1863), Faust, Mireille, Romeo a Juliette,[238] Robert, L'Africaine, Les Hugenotts, L'etoil de Nord, Dinorah, La Parphete,[239] Nozze de Figaro, Magic Flute (Seiri Rhyddion), Don Giovanni,[240] Rigoletto, Ernani, Trovatore, Aida,[241] Sonambulla,[242] Semiramide,[243] Martha,[244] Bohemian Girl,[245] Maritana,[246] Carmen,[247] Traviata,[248] Linda di Shamouni,[249] Un Ballo de Maschera,[250] Fra Diavolo,[251]

[230] Moriz Rosenthal (1862–1946), pianydd o Wcráin.

[231] Bernhard Stavenhagen (1862–1914), pianydd o'r Almaen.

[232] John Tiplady Carrodus (1836–95), fiolinydd o Swydd Efrog a elwid yn 'Joachim Lloegr'.

[233] Prosper Sainton (1813–90), fiolinydd o Ffrainc.

[234] Camillo Sivori (1815–94), fiolinydd a chyfansoddwr o'r Eidal.

[235] Joseph Hollman (1852–1927), unawdydd cello.

[236] Giovanni Bottesini (1821–89), chwaraeydd bas dwbl ac arweinydd o'r Eidal.

[237] *Fidelio* (1805) gan Ludwig van Beethoven (1770–1827), arwr Parry.

[238] Tair opera gan Charles Gounod (1818–93): *Faust* (1859), *Mireille* (1864), *Roméo et Juliette* (1867).

[239] Chwe opera gan Giacomo Meyerbeer (1791–1864): *Robert le Diable* (1831), *L'Africaine* (1865), *Les Huguenots* (1836), *L'Étoile du Nord* (1854), *Dinorah* (1859), *Le Prophète* (1849).

[240] Tair opera gan Wolfgang Amadeus Mozart (1756–91): *Le Nozze di Figaro* (1786), *Die Zauberflöte* (1791), *Don Giovanni* (1787).

[241] Pedair opera gan Giuseppe Verdi (1813–1901): *Rigoletto* (1851), *Ernani* (1844), *Il Trovatore* (1853), *Aida* (1871).

[242] *La Sonnambula* (1831) gan Vincenzo Bellini (1801–35).

[243] *Semiramide* (1823) gan Gioachino Rossini (1792–1868).

[244] *Martha* (1847) gan Friedrich Flotow (1812–83).

[245] *The Bohemian Girl* (1843) gan M. W. Balfe (1808–70).

[246] *Maritana* (1845) gan W. Vincent Wallace (1812–65).

[247] *Carmen* (1875) gan Georges Bizet (1838–75).

[248] *La Traviata* (1853) gan Verdi.

[249] *Linda di Chamounix* (1842) gan Gaetano Donizetti (1797–1848).

[250] *Un Ballo in Maschera* (1859) gan Verdi.

[251] *Fra Diavolo* (1830) gan Daniel-François-Esprit Auber (1782–1871).

Maestersinger,[253] Elaine,[254] La Boheme,[255] William Tell, Ill Barbier,[256] Lucia di Lamermore,[257] Hamlet, Mignion,[258] Ill Demonio,[259] Samson and Delila,[260] Daughter of the Regiment,[261] Der Freisshutz, Oberon, Euryanthe,[262] Thorgrim,[263] Corsair,[264] Canterbury Pilgrims,[265] Columba,[266] Savaranolo,[267] Lucrezia Borgia,[268] Norma,[269] Massianello,[270] Troubadour,[271] Ivanhoe,[272] Pinafore, Patience, Penzance, Rudigore,[273] Haddon Hall,[274] Mikado, Utopia, Trial by Jury,[275] Emerald Isle,[276] Sorcerer, The Yeomen of the Guard, Pirates

---

[253] Seven operas by Richard Wagner (1813–83): *Lohengrin* (1850), *Tannhäuser* (1845), *Das Rheingold* (1869), *Siegfried* (1876), *Die Walküre* (1870), *Götterdämmerung* (1876), *Die Meistersinger von Nürnberg* (1868).

[254] *Elaine* (1892) by Herman Bemberg (1861–1931).

[255] *La Bohème* (1896) by Giacomo Puccini (1858–1924).

[256] *Guillaume Tell* (1829), *Il Barbiere di Siviglia* (1816) by Rossini.

[257] *Lucia di Lammermoor* (1835) by Donizetti.

[258] *Hamlet* (1868), *Mignon* (1866) by Ambroise Thomas (1811–96).

[259] *Der Dämon* (*Il Demonio*) (1871) by Anton Rubinstein (1829–94).

[260] *Samson et Dalila* (1877) by Camille Saint-Saëns (1835–1921); Parry here inserts (42).

[261] *La Fille du Régiment* (1840) by Donizetti.

[262] Three operas by Carl Maria von Weber (1786–1826): *Der Freischütz* (1821), *Oberon* (1826), *Euryanthe* (1823); Parry here inserts (50).

[263] *Thorgrim* (1890) by Frederic Cowen (1852–1935).

[264] Possibly *Il Corsaro* (1848) by Verdi.

[265] *The Canterbury Pilgrims* (1884) by C. V. Stanford (1852–1924).

[266] *Colomba* (1883) by Alexander Mackenzie (1847–1935).

[267] *Savonarola* (1884) by C. V. Stanford.

[268] *Lucrezia Borgia* (1833) by Donizetti.

[269] *Norma* (1831) by Bellini; Parry here inserts (55).

[270] *Masaniello* (*La Muette de Portici*) (1828) by Auber.

[271] *The Troubadour* (1886) by Alexander Mackenzie.

[272] *Ivanhoe* (1891) by Arthur Sullivan.

[273] Four of the comic operas of W. S. Gilbert and Arthur Sullivan: *H.M.S. Pinafore* (1878), *Patience* (1881), *The Pirates of Penzance* (1879), *Ruddigore* (1887).

[274] *Haddon Hall* (1892), the music by Arthur Sullivan to words by Sydney Grundy.

[275] Another three operas by Gilbert and Sullivan: *The Mikado* (1885), *Utopia Limited* (1893), *Trial by Jury* (1875).

[276] *The Emerald Isle* (1901), a comic opera by Arthur Sullivan and Edward German (1862–1936).

Lily of Kilarni,[252] Lohengrin, Tannhauser, Rheingol, Siegfried, Walkeree, Gotterdamerung, Maestersinger,[253] Elaine,[254] La Boheme,[255] William Tell, Ill Barbier,[256] Lucia di Lamermore,[257] Hamlet, Mignion,[258] Ill Demonio,[259] Samson and Delila,[260] Daughter of the Regiment,[261] Der Freisshutz, Oberon, Euryanthe,[262] Thorgrim,[263] Corsair,[264] Canterbury Pilgrims,[265] Columba,[266] Savaranolo,[267] Lucrezia Borgia,[268] Norma,[269] Massianello,[270] Troubadour,[271] Ivanhoe,[272] Pinafore, Patience, Penzance, Rudigore,[273] Haddon Hall,[274] Mikado, Utopia, Trial by Jury,[275] Emerald Isle,[276] Sorcerer, The Yeomen of

---

[252]   *The Lily of Killarney* (1862) gan Julius Benedict (1804–85).

[253]   Saith opera gan Richard Wagner (1813–83): *Lohengrin* (1850), *Tannhäuser* (1845), *Das Rheingold* (1869), *Siegfried* (1876), *Die Walküre* (1870), *Götterdämmerung* (1876), *Die Meistersinger von Nürnberg* (1868).

[254]   *Elaine* (1892) gan Herman Bemberg (1861–1931).

[255]   *La Bohème* (1896) gan Giacomo Puccini (1858–1924).

[256]   *Guillaume Tell* (1829), *Il Barbiere di Siviglia* (1816) gan Rossini.

[257]   *Lucia di Lammermoor* (1835) gan Donizetti.

[258]   *Hamlet* (1868), *Mignon* (1866) gan Ambroise Thomas (1811–96).

[259]   *Der Dämon* (*Il Demonio*) (1871) gan Anton Rubinstein (1829–94).

[260]   *Samson et Dalila* (1877) gan Camille Saint-Saëns (1835–1921); mae Parry'n gosod (42) yma.

[261]   *La Fille du Régiment* (1840) gan Donizetti.

[262]   Tair opera gan Carl Maria von Weber (1786–1826): *Der Freischütz* (1821), *Oberon* (1826), *Euryanthe* (1823); mae Parry'n gosod (50) yma.

[263]   *Thorgrim* (1890) gan Frederic Cowen (1852–1935).

[264]   Efallai *Il Corsaro* (1848) gan Verdi.

[265]   *The Canterbury Pilgrims* (1884) gan C. V. Stanford (1852–1924).

[266]   *Colomba* (1883) gan Alexander Mackenzie (1847–1935).

[267]   *Savonarola* (1884) gan C. V. Stanford.

[268]   *Lucrezia Borgia* (1833) gan Donizetti.

[269]   *Norma* (1831) gan Bellini; mae Parry'n gosod (55) yma.

[270]   *Masaniello* (*La Muette de Portici*) (1828) gan Auber.

[271]   *The Troubadour* (1886) gan Alexander Mackenzie.

[272]   *Ivanhoe* (1891) gan Arthur Sullivan.

[273]   Pedair o operâu ysgafn W. S. Gilbert ac Arthur Sullivan: *H.M.S. Pinafore* (1878), *Patience* (1881), *The Pirates of Penzance* (1879), *Ruddigore* (1887).

[274]   *Haddon Hall* (1892), cerddoriaeth gan Arthur Sullivan i eiriau Sydney Grundy.

[275]   Tair eto o operâu ysgafn Gilbert a Sullivan: *The Mikado* (1885), *Utopia Limited* (1893), *Trial by Jury* (1875).

[276]   *The Emerald Isle* (1901), opera ysgafn gan Arthur Sullivan ac Edward German (1862–1936).

of Penzance,[277] Cloches de Corneille,[278] Le Duchess,[279] &c &c &c &c.

I:[280]   Music excluded from Aberystwyth college
II: Pilgrims, Druids, and Dwynwen, declined as not being good enough by the _____ Eisteddfod Committee, a prominent musician as Chairman.

My advise [sic] to young Welsh musicians.

Countries and States where I have been to : South Germany, the Austrian Tyrol alps [sic], Switzerland, Rocky Mountains, Colorado, Utah, Nebraska, Omaha, Alaska?, Kansas, Iowa, Mississip[p]i, Wisconsin, Illinois, Ohio, Tennes[s]ee, Virginia, Kentucky, Maryland, Pennsylv[an]ia, New York, Massachusits [sic], Maine, Vermont, New Jersey[281]

When I composed some of my music.

II Wales as it is, Wales as it needs be, and (III) Wales as it might be.

---

[277] Three more operas by Gilbert and Sullivan: *The Sorcerer* (1877), *The Yeomen of the Guard* (1888), *The Pirates of Penzance* (1879) (previously listed by Parry).

[278] *Les Cloches de Corneville* (1877) by Robert Planquette (1848–1903).

[279] Possibly *La Duchesse de Ferrare* (1895) by Edmond Audran (1840–1901).

[280] The following notes appear to be headings for passages Parry intended to write, but never did.

[281] Parry here inserts (21).

the Guard, Pirates of Penzance,[277] Cloches de Corneille,[278] Le Duchess,[279] ac ati.

I:[280]   Cerddoriaeth a waharddwyd o goleg Aberystwyth
II: Pilgrims, Druids a Dwynwen: gwrthodwyd gan Bwyllgor Eisteddfod _____ am nad oeddynt yn ddigon da, gyda cherddor enwog yn Gadeirydd.

Fy nghyngor i gerddorion ifanc o Gymru.

Gwledydd a Thaleithiau yr ymwelais â hwy: De'r Almaen, Alpau Tyrol Awstria, y Swistir, y Mynyddoedd Creigiog, Colorado, Utah, Nebraska, Omaha, Alaska?, Kansas, Iowa, Mississip[p]i, Wisconsin, Illinois, Ohio, Tennes[s]ee, Virginia, Kentucky, Maryland, Pennsylv[an]ia, Efrog Newydd, Massachusits [*sic*], Maine, Vermont, New Jersey[281]

Pryd y cyfansoddais beth o'm cerddoriaeth.

II Cymru fel y mae, Cymru fel y mae angen iddi fod, a (III) Cymru fel y gallai fod.

---

[277] Tair eto o operâu ysgafn Gilbert a Sullivan: *The Sorcerer* (1877), *The Yeomen of the Guard* (1888), *The Pirates of Penzance* (1879) (a restrwyd gan Parry eisoes).

[278] *Les Cloches de Corneville* (1877) gan Robert Planquette (1848–1903).

[279] Efallai *La Duchesse de Ferrare* (1895) gan Edmond Audran (1840–1901).

[280] Mae'n ymddangos taw penawdau yw'r nodiadau canlynol i ddarnau y bwriadodd Parry eu hysgrifennu, ond na wnaeth.

[281] Mae Parry'n gosod (21) yma.

6.1.1880[282]

News! News!! News!!!

Ye fowls of the air, ye creatures that growl, groan, and puff in the mighty deep: ye beasts of the forest and all things that crawl on the face of the earth, sky, sun, moon and stars, earth, air, fire and water – and all creation –

News! News!! News!!!

Thus, the herald screams as he rushes through the universe bearing the glad tidings of some little man who resides at a remote corner of our world having this day completed the score of his last work Emmanuel. So intense is the news, that all things are dulled with astonishment and fright, even paralized [sic] as the herald's tones and vibrations roll onward and ever onward through space. So now for awhile, my poor and feeble brain, nerve, and hands may pause awhile, and wonder what such a pause means, being so unusual. This silence may contain a symphony of such delicate and delicious strains played by an Orchestra of Angels, so gentle is their touch and so soothing the music they produce as their angelic finger[s] wander to and fro upon their golden Instruments; such Instruments and effects that even Wagner never heard in his sweetest dreams. I feel that silence may produce the very essence of music. These are some of the thoughts that the author experiences on the completion of his work. News! News!! Glorious News!!

---

[282] An addendum to the MS. which describes Parry's elation at the completion of his oratorio *Emmanuel* in 1880.

6.1.1880[282]

Newyddion! Newyddion!! Newyddion!!!

Chwi adar yr awyr, chwi anifeiliaid sy'n udo, ochneidio a chwythu yn y dyfnderoedd mawr; chwi fwystfilod y goedwig a phopeth sy'n cripian ar wyneb y ddaear, yr awyr, yr haul, y lloer a'r sêr, daear, awyr, tân a dŵr – a'r greadigaeth gyfan –

Newyddion! Newyddion!! Newyddion!!!

Felly y gwaedda'r herodr wrth iddo ruthro drwy'r bydysawd gan ddwyn y newyddion da am ryw ddyn bach sy'n byw mewn cornel anghysbell o'n byd, a orffennodd heddiw sgôr ei waith diweddaraf, *Emmanuel*. Mor ddwys yw'r newydd, fel y mae pob dim yn fud gan syndod ac ofn, hyd yn oed wedi'u parlysu wrth i sain a dirgryniadau'r herodr dreiglo ymlaen ac ymlaen drwy'r gofod. Felly am ychydig, oeda fy ymennydd bach llipa, fy nerfau a'm dwylo, gan ystyried beth yw ystyr y fath oedi, mor anarferol yw. Gall y tawelwch hwn gynnwys symffoni o seiniau mor ysgafn a hyfryd a genir gan gerddorfa o angylion, mor dyner yw eu cyffyrddiad ac mor gysurlon yw'r gerddoriaeth y maent yn ei chanu wrth i'w bysedd angylaidd grwydro hwnt ac yma dros eu hofferynnau euraid; offerynnau ac effeithiau na chlywodd hyd yn oed Wagner yn ei freuddwydion hyfrytaf. Teimlaf y gall tawelwch greu hanfod cerddoriaeth. Dyma rai o'r meddyliau y mae'r awdur yn eu profi pan fydd yn cwblhau ei waith. Newyddion! Newyddion!! Newyddion Bendigedig!!

---

[282] Ychwanegiad i'r llawysgrif sy'n disgrifio gorfoledd Parry wedi cwblhau ei oratorio *Emmanuel* yn 1880.